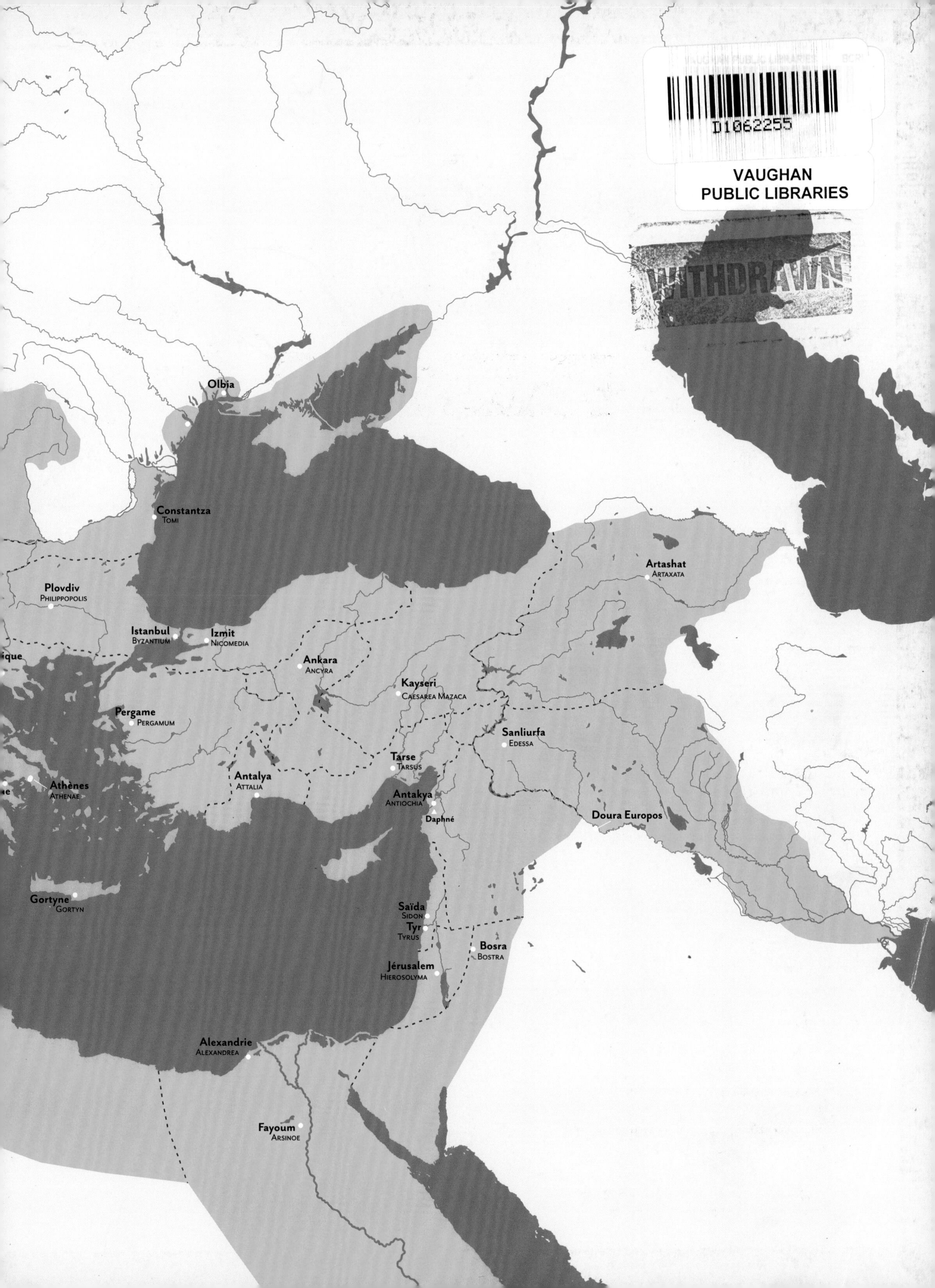
Olbia
Constantza
TOMI
Plovdiv
PHILIPPOPOLIS
Istanbul
BYZANTIUM
Izmit
NICOMEDIA
Ankara
ANCYRA
Kayseri
CAESAREA MAZACA
Artashat
ARTAXATA
Pergame
PERGAMUM
Sanliurfa
EDESSA
Tarse
TARSUS
Antalya
ATTALIA
Athènes
ATHENAE
Antakya
ANTIOCHIA
Daphné
Doura Europos
Gortyne
GORTYN
Saïda
SIDON
Tyr
TYRUS
Bosra
BOSTRA
Jérusalem
HIEROSOLYMA
Alexandrie
ALEXANDREA
Fayoum
ARSINOE

À Antonin.

Éditeurs

Pour le musée du Louvre

Chef du service des Éditions
Violaine Bouvet-Lanselle
Coordination éditoriale
Catherine Dupont
Iconographie
Chrystel Martin

Pour Actes Sud Junior

Éditrice
Isabelle Péhourticq assistée de **Fanny Gauvin**
Directeur de création
Kamy Pakdel
Directeur artistique
Guillaume Berga

Remerciements à : Cécile Giroire et Daniel Roger, conservateurs au département des Antiquités grecques, étrusques et romaines du musée du Louvre, pour leurs conseils et relectures.

© Actes Sud / Musée du Louvre, 2014
ISBN 978-2-330-03045-2
ISBN Louvre 978-2-35031-476-1

Loi 49-956 du 16 juillet 1949 sur les publications destinées à la jeunesse
Reproduit et achevé d'imprimer en février 2014 par Proost, pour le compte des éditions ACTES SUD,
Le Méjan, Place Nina-Berberova, 13200 Arles. Dépôt légal 1re édition : mars 2014 (Imprimé en Belgique).

Aurélie Piriou

VOYAGE DANS LA ROME ANTIQUE

ACTES SUD JUNIOR

Louvre éditions

SOMMAIRE

VOYAGE DANS
LA ROME **ANTIQUE**

Ave ! jeune visiteur du Louvre et peut-être déjà amateur de civilisation romaine. Que représente la Rome antique pour toi : Romulus et Rémus, César, les gladiateurs, la mythologie ?

Pénétrant dans les salles du musée, je t'entends déjà murmurer : "Mais à qui appartiennent toutes ces têtes coupées ?"
Ce sont des portraits d'empereurs, de leurs épouses, de leurs proches ou d'anonymes. Grâce à eux renaît sous tes yeux la grandeur de Rome. Peintures, mosaïques, objets de la vie quotidienne comme les lampes, les figurines, la vaisselle ou les bijoux te plongent au cœur de l'intimité des Romains.
À Rome, la vie s'évoque aussi grâce à la mort. Stèles, sarcophages, objets trouvés dans les tombes illustrent la vie de ceux qui ne sont plus.

Ce livre est une invitation à découvrir la collection romaine du musée du Louvre, riche de vingt mille objets. Ceux-ci proviennent des anciennes collections royales, de collections privées prestigieuses ou encore de fouilles archéologiques.
Ils te permettent de parcourir le vaste territoire de l'Empire, peu à peu constitué au cours des treize siècles qui s'écoulent entre la fondation de Rome et la chute de l'Empire romain d'Occident.

Laisse-toi guider par les œuvres pour découvrir l'histoire de Rome.

LA FONDATION DE ROME

Rome a-t-elle été fondée en 753 av. J.-C. ? Parmi les nombreuses légendes concernant cet événement, deux sont à retenir : l'*Énéide* de Virgile et le début de l'*Histoire romaine* de Tite-Live, écrits au Ier siècle av. J.-C.
La réalité archéologique coïncide-t-elle avec ces légendes ? Menons l'enquête !

Les origines légendaires : d'Énée...

Dans l'*Énéide*, Virgile nous raconte les aventures du héros troyen Énée. Lors de la destruction de la ville de Troie (côte turque actuelle), Énée s'échappe avec son père Anchise, son fils Ascagne et d'autres compagnons. Ils entreprennent un grand voyage semé d'embûches en Méditerranée pour rejoindre le Latium, région du centre de l'Italie. Là, un destin formidable attend Énée puisqu'il doit être l'ancêtre de la lignée qui créera la ville de Rome. En effet, Énée fonde Lavinium, et son fils Ascagne, Albe-la-Longue.

Lampe en terre cuite, fin du IIe-début du IIIe siècle apr. J.-C. :
Énée quittant Troie avec son père Anchise sur les épaules et son fils Ascagne.

... à Romulus et Rémus

Parmi les descendants d'Énée, Numitor règne sur Albe. Jaloux, son frère, Amulius, réussit à s'emparer du trône. Craignant que sa nièce, Rhéa Silva, ait des enfants qui réclament leur héritage, il décide d'en faire une **vestale***. Mais Rhéa Silva, séduite par le dieu Mars, met au monde des jumeaux, Romulus et Rémus. Fou de rage, Amulius les fait jeter dans le Tibre. Par chance, une louve les recueille sur la rive du fleuve. Adultes, Romulus et Rémus décident de fonder une ville à l'endroit où ils ont été trouvés. Mais, en désaccord avec son frère sur l'emplacement exact, Romulus tue Rémus, fonde Rome et en devient le roi.

La Louve du Capitole, fin VIe-début Ve siècle av. J.-C.,
mais les analyses récentes plaideraient pour une fabrication au Moyen Âge.
Les jumeaux sont de la fin du XVe siècle.

La “ville aux sept collines”

Sept collines dominent Rome : le Palatin, le Capitole, l’Esquilin, l’Aventin, le Quirinal, le Viminal et le Caelius. Un fleuve, le Tibre, la traverse. Lorsque Romulus fonde Rome, en 753 av. J.-C. selon la tradition, il en trace les limites, le ***pomerium****. La Rome de Romulus se dresse sur le Palatin, mais la ville va s’étendre au fil des siècles.

Les collines de Rome. →

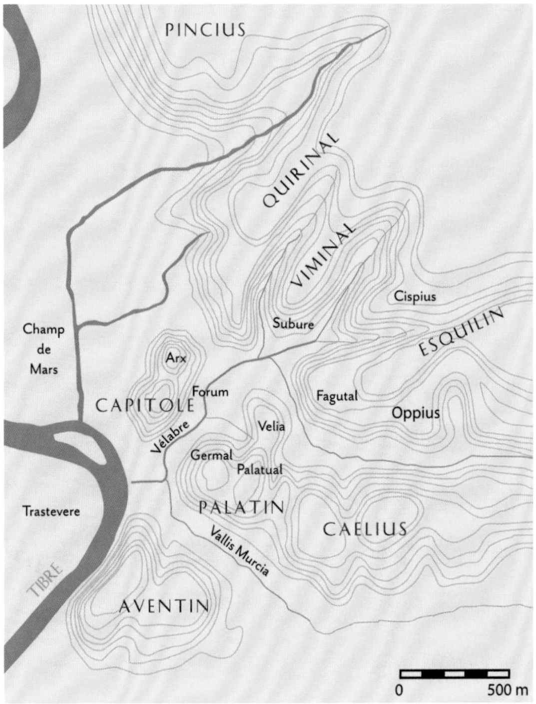

Le Tibre, milieu du IIe siècle apr. J.-C. : on aperçoit Romulus et Rémus allaités par la louve.

LA RÉALITÉ ARCHÉOLOGIQUE

Les fouilles archéologiques sur le site de Rome permettent de nuancer la date traditionnelle de fondation de la ville. Le site est occupé dès le IXe siècle av. J.-C., comme le prouve la présence de tombes. C’est au VIIIe siècle av. J.-C. que les habitats se regroupent et sont protégés par des remparts. Récemment, on a découvert, au pied du Palatin, les traces d’un mur qui daterait de 730-720 av. J.-C. et qui pourrait être le *pomerium* romuléen.
Au VIe siècle av. J.-C., l’urbanisation s’accélère et de nouveaux édifices (temples, palais, maisons) sont construits sur le Forum, le Capitole et le Palatin. Ainsi, les données archéologiques correspondraient aux grandes étapes décrites par les textes.

Urne cinéraire en *impasto* (terre cuite) des Xe-IXe siècle av. J.-C., reproduisant l’habitat des premiers Romains.

Vestales : prêtresses de la déesse Vesta. Elles ne doivent pas se marier ni avoir d’enfant.
Pomerium : sillon tracé pour délimiter la ville, l’*Urbs*. Au sein de cet espace sacré, il est interdit d’enterrer les morts ou de porter des armes, en dehors des cérémonies du triomphe.

AU TEMPS DES ROIS DE ROME

Au début de son histoire, Rome est gouvernée par des rois. La connaissance de cette période repose essentiellement sur les sources littéraires. La plupart de ces rois sont considérés comme légendaires.

Jacques Louis David, *Les Sabines*, 1799 : David choisit de montrer le moment où les Sabines s'interposent entre les deux peuples.

Les Sabins

Après la fondation de Rome, Romulus et ses compagnons vont chercher des épouses parmi un peuple voisin, les Sabins. Ces derniers refusant toute alliance, les Romains décident d'employer la ruse : ils les convient à assister à des jeux et profitent de l'occasion pour enlever leurs femmes. Des années plus tard, les Sabins attaquent les Romains afin de les libérer.
Ils s'introduisent dans le camp romain avec l'aide de la vestale Tarpeia, fille du commandant de la citadelle du Capitole qui, par cupidité, accepte de trahir les siens : elle leur ouvre les portes en échange de "ce qu'ils portent au bras gauche" : un bracelet en or. Mais, à la place, elle ne reçoit que des coups de bouclier, qu'ils portent aussi au bras gauche, puis elle est jetée d'un rocher qui depuis porte son nom : la roche Tarpéienne. Les Sabines, désormais attachées à leur mari romain et à leur famille, s'interposent entre les Romains et les Sabins. La paix est alors conclue. Les deux peuples ne forment plus qu'une seule nation et Titus Tatius, roi des Sabins, dirige Rome avec Romulus. À sa mort, ce dernier, mystérieusement emporté par une nuée lors d'un orage, devient un dieu.

Les Horaces et les Curiaces

Alors que Tullius Hostilius (VIIe siècle av. J.-C.) règne sur Rome, une guerre éclate entre Rome et Albe. Pour mettre fin au conflit, chaque ville décide d'élire trois héros qui seuls combattront : les frères Horace pour Rome et les frères Curiace pour Albe.
Les trois Curiaces sont rapidement blessés et deux Horaces sont tués. Mais, rusé, le troisième Horace fuit, sépare les trois Curiaces qu'il attaque et tue l'un après l'autre. Pour compliquer l'histoire, la sœur du vainqueur est amoureuse d'un des Curiaces. Au retour de son frère, elle pleure la perte de son fiancé. Fou de rage, son frère la tue. Il sera condamné à mort mais acquitté par le peuple romain.

Jacques Louis David, *Le Serment des Horaces*, 1784 : David illustre la détermination des trois frères Horace.

Les rois étrusques

À la fin du VIIe siècle av. J.-C., sous le règne de rois d'origine étrusque*, Rome devient une ville importante qu'ils dotent de monuments publics. Ils instaurent une nouvelle organisation politique, sociale et militaire et imposent leur écriture. Sous Tarquin l'Ancien (616-578), de grands travaux d'urbanisme sont entrepris : l'emplacement du Forum est asséché grâce à la création d'un grand égout, la *Cloaca Maxima*. Servius Tullius (578-534) agrandit encore la ville qu'il entoure d'une muraille, appelée muraille servienne. Le dernier roi étrusque, Tarquin le Superbe (534-509), qui se comporte comme un tyran, est chassé de Rome en 509 av. J.-C.

La *Cloaca Maxima*.

Peinture de la tombe François : la délivrance de Mastarna (Servius Tullius) par Caelius Vibenna et les siens.

Étrusques : peuple du centre de l'Italie.

LA RÉPUBLIQUE (509-27 AV. J.-C.)

Après la fuite des Tarquins, un nouveau régime se met en place : la République, la *res publica*, c'est-à-dire la chose publique, l'État.

Qu'est-ce que la République ?

Sous la République, le pouvoir est confié à deux **magistrats***, les consuls, élus chaque année par le peuple romain. Ils sont secondés par le Sénat, une assemblée d'anciens magistrats dominée par les **patriciens***. Seuls les plus riches citoyens peuvent exercer une magistrature.
Ce régime n'est donc pas une démocratie.
Il est marqué par la lutte entre les patriciens et les **plébéiens***. Les plébéiens peuvent tout de même s'opposer aux décisions des patriciens grâce aux tribuns de la plèbe, magistrats plébéiens chargés de défendre leurs intérêts. En 451 av. J.-C., une commission de dix hommes rédige et publie la loi des Douze Tables qui permet à tous de consulter les lois, auparavant seulement connues des patriciens. Si quelques familles plébéiennes parviennent à s'enrichir et à entrer dans les cercles du pouvoir, la majorité de la plèbe reste pauvre durant l'époque républicaine.

Le forum

Le forum est une place publique rectangulaire que l'on trouve au centre de toutes les villes romaines, et où se déroule la vie politique, religieuse et commerciale. Les principaux monuments publics y sont construits. La basilique est une grande salle publique où sont réglées les affaires judiciaires et commerciales. La curie abrite le Sénat romain. Des temples, des boutiques et des marchés complètent l'ensemble.
Le *Forum Romanum* est aménagé au VIe siècle av. J.-C. dans la vallée située entre le Capitole et le Palatin. Il est traversé d'est en ouest par la *Via Sacra* (Voie sacrée), bordée d'édifices sacrés.
Sur le Forum romain, les édifices les plus anciens de la ville côtoient des monuments plus récents. En effet, des bâtiments y seront construits tout au long de l'histoire de Rome.

Vue du *Forum Romanum*.

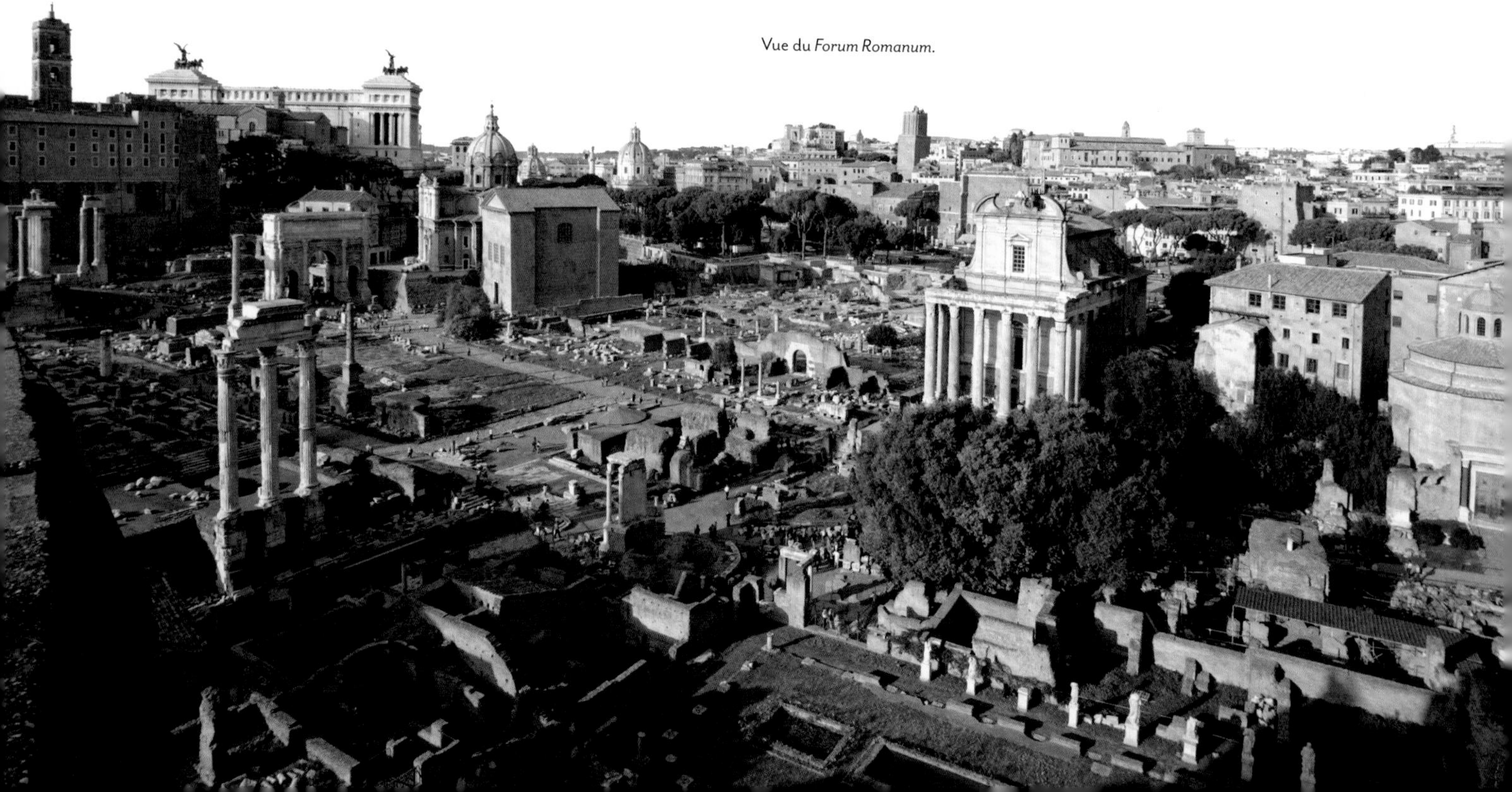

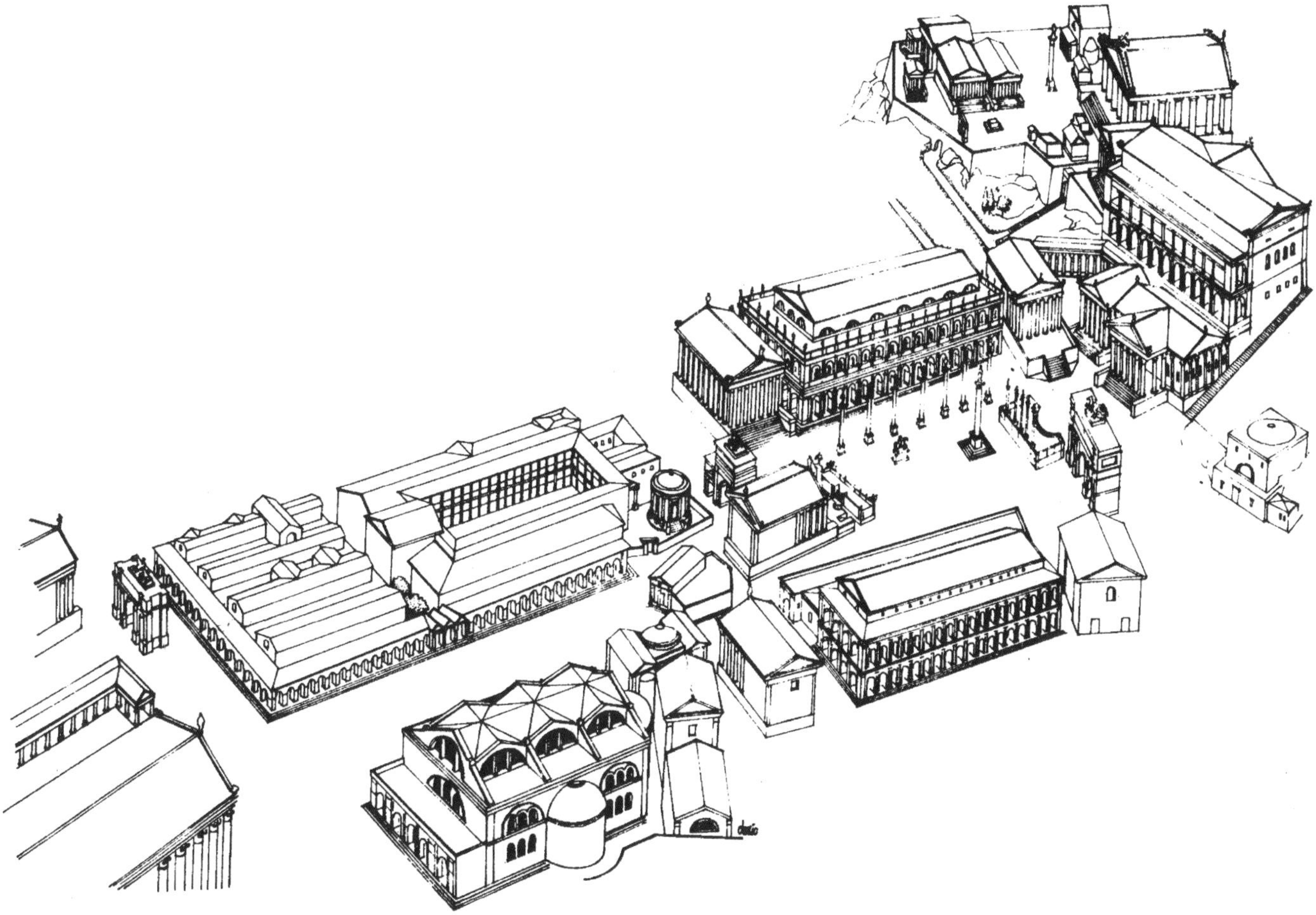

Reconstitution du Forum sous l'Empire.

LE PORTRAIT RÉPUBLICAIN

À Rome, des portraits, réalisés à partir du masque de cire obtenu sur le visage du défunt, sont conservés dans les armoires des maisons de la noblesse. Ils sont sortis lors des processions funéraires, des mariages et des cérémonies publiques afin de donner l'impression que toute la famille est présente. Cette tradition a contribué au développement de l'art du portrait sous la République. Les individus sont représentés de manière grave et sévère. Leurs défauts, loin d'être cachés, sont même souvent accentués. Au-delà de la ressemblance physique, le portrait doit exprimer des valeurs morales et traduire le rang social de l'individu.

Portrait dit de "Postumus Albinus", daté du début du Ier siècle av. J.-C.

Portrait d'un inconnu, en terre cuite, fin du Ier siècle av. J.-C. : à mettre en parallèle avec les portraits d'ancêtres, faits à partir des masques de cire moulés sur le visage du défunt.

Magistrat : citoyen élu exerçant une fonction publique.
Patricien : homme riche, issu d'une illustre famille.
Plébéien : homme libre aux faibles revenus.

LA SOCIÉTÉ ROMAINE

La société romaine est divisée entre citoyens et non-citoyens. Sans jouir de tous les droits du citoyen, la femme née libre bénéficie d'une situation appréciable.

Autel dit de Domitius Ahenobarbus, vers 100 av. J.-C. : le relief présente la cérémonie du recensement, close par un sacrifice au dieu Mars.

Être citoyen à Rome

Tous les cinq ans, le censeur, magistrat chargé du recensement, dresse la liste des citoyens, de leur famille et de leur fortune. Cet acte confirme au citoyen son nom (gentilice), sa tribu et la **centurie*** au sein de laquelle il fera la guerre ou votera. Jusqu'à la réforme de Marius, en 107 av. J.-C., tous les citoyens sont appelés à partir en guerre l'été, selon leur niveau de fortune.
Vêtu de la toge, le citoyen participe à la vie civile de la cité : il a des droits et des devoirs. Les conditions d'accès à la citoyenneté évoluent au cours de l'Empire. En 212 apr. J.-C., l'empereur Caracalla l'accorde à tous les habitants libres de l'Empire.

Le *cursus honorum*

Qui peut suivre le *cursus honorum*, "carrière des honneurs" ? Tout citoyen riche souhaitant participer à la vie politique.
Après son service militaire, celui-ci devient questeur, chargé de l'administration financière de l'État, puis éventuellement édile, responsable des travaux et des spectacles publics. Ensuite, il accède au grade de préteur, chargé des tribunaux, pour enfin atteindre la fonction suprême, celle de consul. Il faut en général deux ans entre chaque magistrature, mais ce délai est variable selon les époques. On ne peut devenir consul qu'à partir de quarante-deux ans. Quant à la charge de censeur, elle est supérieure à celle de consul.

Citoyen en toge, seconde moitié du Ier siècle apr. J.-C. (tête moderne) : la statue offre un bel exemple de toge.

Le mariage

Le mariage est un acte civil régi par des règles différentes selon les époques et les ordres de la société. Par exemple, le mariage n'a pas toujours été autorisé entre patriciens et plébéiens. La plupart des cérémonies ont lieu au mois de juin. Les amis se réunissent dans la maison du père de la mariée. Celle-ci porte une tunique blanche, un voile et des chaussures couleur de flamme. Une femme mariée joint les mains droites des fiancés. Un sacrifice a lieu et le contrat de mariage peut être signé. Le banquet, offert par le marié, est suivi d'une procession qui emmène la mariée chez son époux. Portée pour franchir le seuil afin d'éviter un mauvais présage, elle est ensuite conduite au lit nuptial où son époux la rejoint. Le divorce, courant au Ier siècle av. J.-C., s'obtient facilement.

Fontaine de Viterbe, vers 235 apr. J.-C. : couple allongé. Au sein du mariage, les époux sont considérés comme des partenaires égaux.

LE STATUT DE LA FEMME

Contrairement aux femmes grecques, la femme romaine mène une vie sociale et jouit d'une certaine indépendance. En effet, la **matrone*** peut sortir de la maison, travailler, assister aux spectacles et être relativement indépendante économiquement car elle garde le contrôle de ses biens. Elle porte un vêtement emblématique, la *stola*, équivalent féminin de la toge. C'est une longue robe plissée serrée à la taille et portée sur une tunique. Ce vêtement symbolise la dignité de la femme mariée. Sous l'Empire, certaines femmes proches du pouvoir ont exercé une grande influence : Livie, par exemple, est restée aux côtés d'Auguste toute sa vie, et Agrippine la Jeune, avide de pouvoir, a tout fait pour que son fils Néron devienne empereur.

Livie en Cérès, vers 20 apr. J.-C : Livie, l'épouse d'Auguste, portant la *stola*, est représentée avec les attributs de la déesse Cérès, divinité de l'agriculture.

Centurie : unité de la légion romaine comprenant théoriquement cent hommes.
Matrone : femme née libre, épouse et mère de famille.

LES CONQUÊTES

Dès le début de son histoire, Rome a étendu son territoire. Les nombreuses conquêtes qui ont lieu sous la République posent les bases du futur Empire.

L'unification de l'Italie

Au début de la République, Rome subit l'attaque de peuples voisins avec qui elle s'allie finalement pour lutter contre les agressions extérieures.
En 396 av. J.-C., Rome triomphe de la cité étrusque de Véies, affaiblie par l'invasion des Gaulois venus du nord de l'Italie. En 390 av. J.-C., ces derniers saccagent Rome, à l'exception du Capitole, sauvé par ses oies sacrées qui donnent l'alerte et permettent aux Romains de se défendre. Les Gaulois sont finalement anéantis et Rome reconstruite. Elle domine désormais les cités étrusques du Nord. Dans la seconde moitié du IVe siècle av. J.-C., Rome réalise difficilement la conquête du sud de l'Italie. En 270 av. J.-C., elle contrôle toute la Péninsule et établit des colonies à des points stratégiques. Les peuples colonisés ne sont pas obligés d'adopter la culture romaine, mais peu à peu une culture commune se met en place.

Tapisserie représentant la bataille de Zama, copie exécutée à la manufacture des Gobelins pour Louis XIV : on y voit les célèbres éléphants d'Hannibal !

Les guerres puniques

Rome, devenue une grande puissance, s'oppose à l'autre grande puissance en Méditerranée, Carthage, au cours des trois guerres **puniques***. Lors de la première (264-241), les Romains remportent la victoire, et la Sicile devient la première province romaine. La deuxième guerre punique (218-202) oppose le Carthaginois Hannibal Barca aux Romains de la famille des Scipions. Après de nombreuses défaites, l'un d'eux, Scipion l'Africain, triomphe finalement d'Hannibal, en 202 av. J.-C., lors de la bataille de Zama, en Afrique. Carthage perd ses colonies installées en Espagne mais demeure une grande puissance commerciale qui concurrence Rome. Cela mène à la troisième guerre punique (149-146), qui se conclut par la destruction complète de Carthage. Son territoire devient la province romaine d'Afrique.

La conquête de l'Orient

Au IIe siècle av. J.-C., Rome entre en guerre contre le monde grec, qui représente une menace pour elle. Philippe V de Macédoine, ancien allié des Carthaginois, souhaite agrandir son royaume. Il est battu par les Romains à Cynocéphale en 197 av. J.-C. Rome libère alors la Grèce de la domination macédonienne. La Macédoine reste indépendante jusqu'à ce que Persée, son nouveau roi, déclenche une nouvelle guerre. Il est vaincu par Paul Émile à Pydna, en 168 av. J.-C., et la Macédoine devient une province romaine en 147 av. J.-C. L'année suivante, Corinthe est également détruite. Pompée, général romain, poursuit la conquête des **royaumes hellénistiques***. Vainqueur de Mithridate, roi du Pont (en Turquie actuelle), il fait de la Bithynie, du Pont et de la Syrie des provinces romaines.

← Gladiateur Borghèse, vers 100 av. J.-C. : signée par Agasias d'Éphèse, fils de Dosithéos, cette statue est sculptée dans un seul bloc de pierre.

↓ Portrait de Mithridate VI Eupator en Héraclès, Ier siècle apr. J.-C.

L'INFLUENCE DES MODÈLES GRECS

Après la conquête de l'Orient, les Romains découvrent les cités grecques et les chefs-d'œuvre de l'art hellénistique avec émerveillement. Ils rapportent ces derniers à Rome comme butin lors des cérémonies du triomphe.
Les plus aisés en commandent des copies en marbre à des artistes grecs installés à Rome.
Ceux-ci créent aussi de nouvelles œuvres en s'inspirant des artistes du passé et en réinterprétant les modèles prestigieux.
Fiers de leurs créations, les artistes les signent souvent, ce qui constitue un précieux témoignage sur la présence d'artistes grecs à Rome à la fin de la République.

Vase de Sosibios, vers 50 av. J.-C. : signé par Sosibios, ce vase illustre parfaitement le courant "néo-attique" qui mêle des références d'époques différentes.

Punique : du latin *Punicus*, Carthaginois.
Royaumes hellénistiques : royaumes créés au IIIe siècle av. J.-C. par les successeurs d'Alexandre le Grand.

LES ESCLAVES

Avec les guerres de conquêtes, le nombre d'esclaves augmente considérablement à Rome. Après sa victoire à Pydna, Paul Émile aurait vendu cent cinquante mille esclaves. Leurs conditions de vie sont très variées selon les fonctions qu'ils occupent.

Être esclave à Rome

Les esclaves sont le plus souvent des étrangers faits prisonniers lors des guerres. L'esclave devient alors la propriété d'un maître qui a tous les droits sur lui. Le sort de l'esclave dépend de son propriétaire et des tâches qu'il effectue. Par exemple, un esclave attaché à une exploitation agricole subit des conditions de vie et de travail bien plus pénibles qu'un esclave en ville. Les fonctions de ce dernier sont multiples : serviteur du maître de maison, précepteur des enfants, intendant domestique. Les esclaves occupent aussi les fonctions d'artisan, de médecin, de gladiateur ou d'acteur.

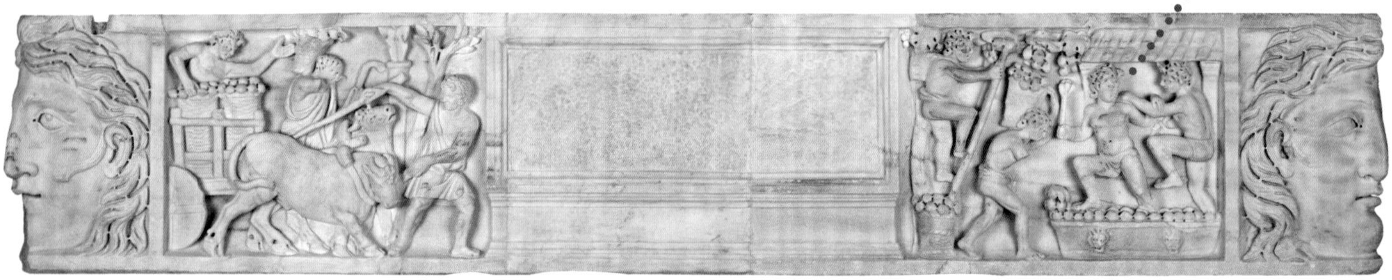

Bandeau de sarcophage illustrant des scènes de vendanges, vers 240 apr. J.-C.

La révolte de Spartacus

Au Ier siècle av. J.-C., les révoltes serviles sont fréquentes. En 73 av. J.-C., l'une des plus importantes est menée par Spartacus, un esclave et gladiateur venu de Thrace (entre la Grèce et la Turquie actuelles) et qui s'est échappé d'une école de gladiateurs à Capoue, dans le sud de l'Italie. Le but des esclaves révoltés n'est pas d'abolir l'esclavage mais de trouver un territoire pour y vivre librement. En trois ans, plusieurs armées romaines sont vaincues et les rebelles parviennent jusqu'en Gaule cisalpine avant de revenir en Italie. Spartacus est finalement vaincu et tué par Crassus en 71 av. J.-C., ses compagnons sont capturés et crucifiés. Pompée massacre ceux qui tentaient de s'enfuir dans le nord de l'Italie. Spartacus est devenu une figure légendaire qui a inspiré nombre de créations contemporaines jusqu'à la récente série américaine *Spartacus*, créée par Steven S. DeKnight.

Portrait de Crassus, fin du Ier siècle av. J.-C.

Mosaïque des serviteurs découverte dans les environs de Carthage (Tunisie), datée de la fin du IIe siècle apr. J.-C. : cinq esclaves s'occupent des préparatifs du banquet.

L'affranchissement

À Rome, l'esclave n'est pas condamné à l'être toute sa vie. En effet, il peut acheter sa liberté, ou son maître peut l'affranchir en échange des bons services rendus. Sous l'Empire, rares sont ceux qui n'ont pas été affranchis à trente ans. L'affranchissement officiel se déroule devant un magistrat. L'affranchi *(libertus)* devient alors citoyen romain et jouit de tous les droits romains excepté celui d'exercer une charge politique. Néanmoins, ses enfants naîtront citoyens libres. L'affranchi prend alors le nom et le prénom de son ancien maître, et son propre nom comme *cognomen* (surnom).

Bien que libre, l'affranchi reste lié à la famille de son ancien maître, devenu son **patron***, et conserve des obligations envers lui.
La présence d'esclaves et d'affranchis au sein du tombeau familial témoigne des liens forts qui peuvent les unir à leur maître. L'affranchi peut disposer d'un important patrimoine, selon la richesse de son ancien maître ou l'activité qu'il exerce devenu libre.

Patron : homme puissant qui en protège un autre, son client.

CÉSAR, OCTAVE ET LA FIN DE LA RÉPUBLIQUE

Au Ier siècle av. J.-C., plusieurs généraux s'illustrent particulièrement lors de campagnes militaires. Ces succès leur donnent une soif de pouvoir qui va mettre un terme à la République.

César, Pompée, Crassus et le "premier triumvirat"

Forts de leurs victoires en Espagne et en Orient, Jules César et Pompée s'allient, en 60 av. J.-C., au général Crassus. Ils forment le "premier triumvirat". Cette alliance leur permet d'occuper les magistratures les plus importantes pour gouverner Rome. Mais Crassus meurt en 53 av. J.-C. lors d'une campagne contre les Parthes (en Irak et Iran actuels) et Pompée profite de l'absence de César, parti à la **conquête de la Gaule***, pour s'allier avec ses adversaires au Sénat. En janvier 49 av. J.-C., César, bravant l'ordre du Sénat, franchit le **Rubicon***, et déclenche alors une guerre civile. Pompée se réfugie en Grèce : vaincu par César à Pharsale en 48 av. J.-C., il se sauve en Égypte où il sera assassiné.

Portrait de Pompée jeune, 70 av. J.-C. : à son retour d'Orient, la cérémonie du triomphe à Rome fut spectaculaire.

L'assassinat de César

À Rome, César est nommé dictateur à vie et le Sénat doit lui accorder de nombreux pouvoirs. Il mène des réformes durables et est très populaire parmi le peuple et l'armée. Cependant, l'ambition évidente de César de conserver le pouvoir et d'instaurer une royauté lui attire de nombreux opposants.

Une **conjuration*** de sénateurs voit le jour, menée par Cassius, ancien partisan de Pompée, et Brutus, le fils adoptif de César. Le 15 mars 44 av. J.-C., César est assassiné à coups de poignard au milieu du Sénat. Voyant que Brutus fait partie des assassins, il prononce le mot célèbre : "*Tu quoque mi fili*" (Toi aussi mon fils).

Portrait d'Octave, 36-35 av. J.-C.

Monnaie à l'effigie d'Antoine.
Au revers, Cléopâtre.

Statuette de Cléopâtre VII en bronze, Ier-IIe siècle.

Le second triumvirat

Après la mort de César, ses partisans se divisent en deux camps : celui d'Antoine, consul avec César en 44 av. J.-C., et celui d'Octave, petit-neveu et fils adoptif de César. Les deux partis finissent par s'allier pour venger la mort de César. En 43 av. J.-C., ils forment le second triumvirat avec Lépide, autre partisan de César. Ils sont nommés triumvirs pour cinq ans. En 42 av. J.-C., ils l'emportent sur les meurtriers de César, Brutus et Cassius à Philippes, en Grèce. Antoine et Octave se partagent le monde romain : l'Orient pour Antoine, l'Occident pour Octave.

LA BATAILLE D'ACTIUM

Très vite, une rivalité oppose Antoine et Octave. Elle est accentuée par l'exclusion de Lépide du triumvirat en 36 av. J.-C. En Orient, Antoine noue une liaison avec la reine d'Égypte, Cléopâtre. Octave l'accuse alors de favoriser l'Égypte au détriment de Rome et déclare la guerre à Cléopâtre en 32 av. J.-C. Il triomphe d'Antoine et Cléopâtre à la bataille navale d'Actium en 31 av. J.-C. Ces derniers se suicident l'année suivante. Octave détient désormais seul le pouvoir. Il va réformer les institutions de la République.

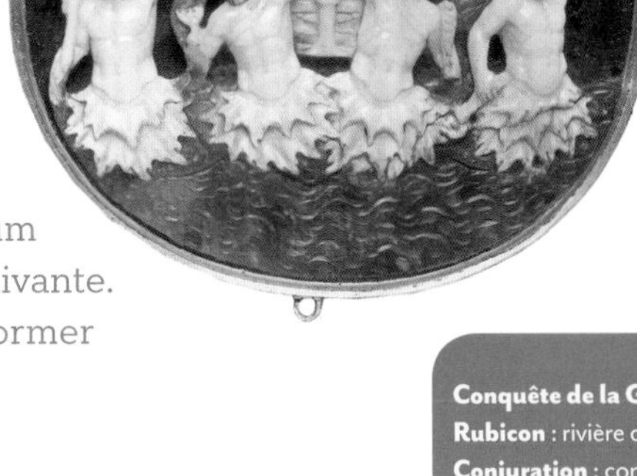

Camée commémorant la victoire d'Octave sur Antoine à la bataille d'Actium. ↗

Conquête de la Gaule : voir p. 22.
Rubicon : rivière qui sépare la Gaule et l'Italie.
Conjuration : complot.

LA GAULE ROMAINE

Arrêtons-nous un instant en Gaule romaine.
Contrairement aux idées reçues, César ne conquiert pas l'ensemble de la Gaule transalpine, c'est-à-dire la France actuelle ; une partie était déjà conquise.

La Narbonnaise

La Gaule transalpine est occupée par des populations celtiques provenant du Danube supérieur, que les Romains nomment Gaulois. Rome conquiert la Gaule parce qu'elle la sépare de l'Espagne, où les Romains ont récupéré les colonies de Carthage après la deuxième guerre punique. Les échanges s'effectuent de manière sûre par Massilia (Marseille), colonie grecque. Mais au IIe siècle av. J.-C., Massilia est menacée par des peuples étrangers. Rome s'en mêle et vainc les peuples indésirables. Ainsi, Rome domine le territoire entre les Alpes et le Rhône, transformé en province en 121 av. J.-C. Les Romains avancent encore à l'ouest et fondent la colonie de Narbo (Narbonne) en 118 av. J.-C., qui donne le nom de Gaule narbonnaise à tout ce territoire.

Mausolée des Julii à Glanum (Saint-Rémy-de-Provence), élevé par trois frères de la famille des Julii pour leurs père et grand-père, sans doute un vétéran de César, vers 30 av. J.-C. →

Portrait de César (ou d'un personnage important de l'époque de César) trouvé dans le Rhône en 2007. ↓

César et la guerre des Gaules

Après son consulat en 59 av. J.-C., Jules César devient gouverneur de la Gaule cisalpine (région du nord de l'Italie) et de la Narbonnaise. D'abord allié des Gaulois face aux attaques extérieures, César décide, à partir de 58 av. J.-C., de conquérir l'ensemble du territoire. En huit ans, la Gaule est soumise. La guerre des Gaules est un des épisodes les mieux connus de l'histoire romaine grâce au compte rendu de César dans ses *Commentaires sur la guerre des Gaules*. Il y décrit la progression de son armée d'année en année. Les Gaulois, loin d'être des barbares désorganisés, possèdent des places fortes, une monnaie, et pratiquent le commerce et l'artisanat. Ils opposent une forte résistance à César. Si en 53 av. J.-C. la Gaule est conquise, c'est sans compter sur la révolte d'un jeune chef gaulois, Vercingétorix. Après avoir remporté une victoire à Gergovie, il est finalement vaincu à Alésia en 52 av. J.-C. La Gaule devient une province romaine divisée en trois régions : l'Aquitaine, la Lyonnaise et la Belgique, auxquelles s'ajoute la Narbonnaise.

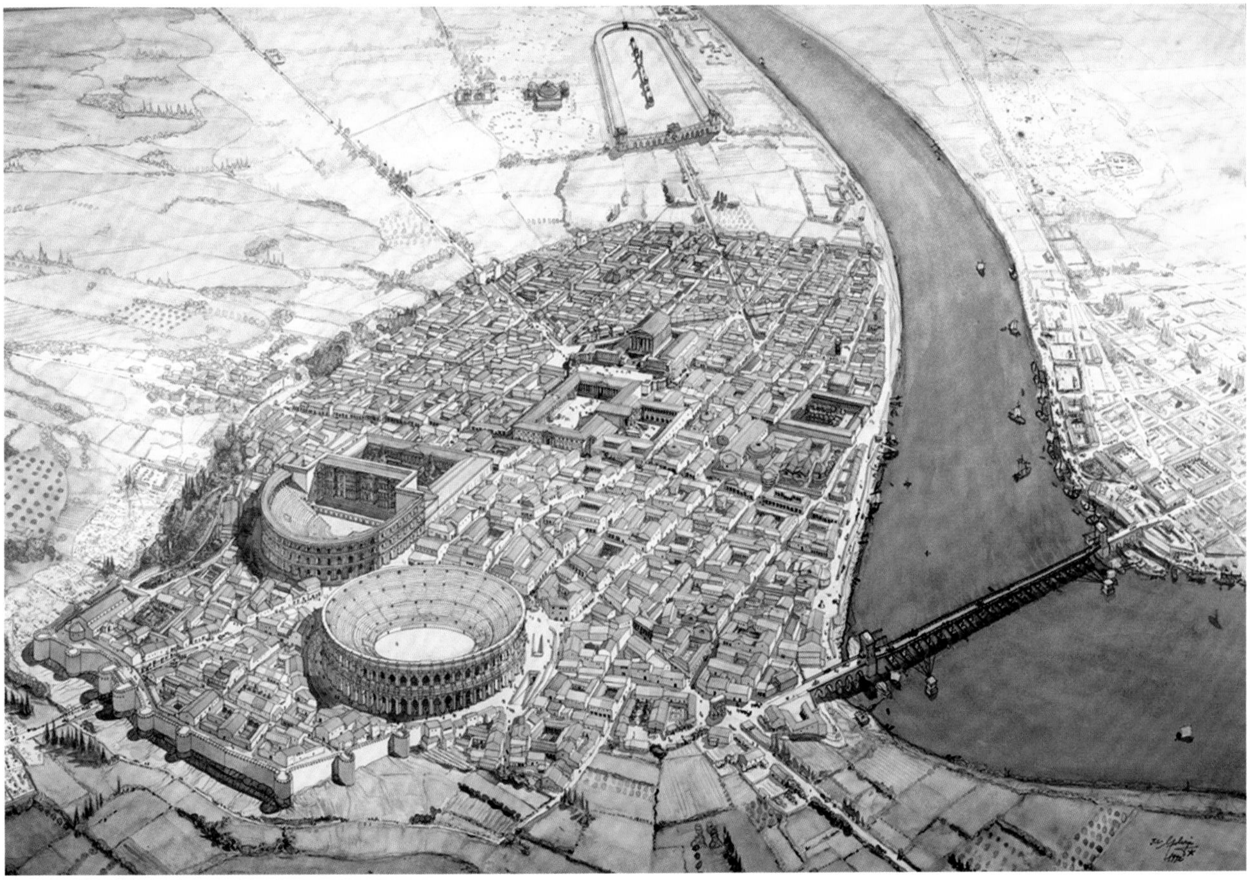

Arles au IVᵉ siècle apr. J.-C. par J.-C. Golvin.

Vénus d'Arles,
fin du Iᵉʳ av. J.-C., trouvée
dans le théâtre d'Arles.
Il s'agit d'une copie romaine
d'une œuvre grecque créée par
Praxitèle au IVᵉ siècle av. J.-C.

Arles

Pour remercier les habitants d'Arles de l'avoir soutenu contre Marseille en 49 av. J.-C., César fait d'Arles (Arelate) une colonie romaine en 46 av. J.-C. La ville d'Arles, sur le Rhône, jouit d'une situation géographique exceptionnelle. Les premiers travaux d'urbanisme ont lieu sous le règne d'Auguste : le théâtre et le forum, ce dernier étant construit sur des **cryptoportiques***. À la fin du Iᵉʳ siècle apr. J.-C., la ville est dotée d'un amphithéâtre et d'un cirque. Des thermes seront construits au IVᵉ siècle apr. J.-C., sous Constantin. De nombreuses œuvres ont été trouvées à Arles. En 2007, des fouilles dans le Rhône ont permis, notamment, la découverte d'un portrait que l'on a proposé d'identifier comme celui de César.

Cryptoportique : soubassement souterrain créé pour obtenir une surface plane afin d'y installer un bâtiment.

LE THÉÂTRE ET LES LETTRES

Dans la Rome antique, le théâtre est d'abord lié à la religion, et fait partie de l'*otium*, terme latin que l'on pourrait associer aux loisirs.

Le théâtre romain

Jusqu'à la fin de la République, des édifices temporaires en bois sont construits pour accueillir les *ludi scaenici*, ancêtres des représentations théâtrales. Le premier théâtre construit en pierre est celui de Pompée, en 55 av. J.-C., dont il ne reste que quelques vestiges aujourd'hui. Le théâtre romain, dont le modèle se répand dans tout l'Empire, a la forme d'un demi-cercle fermé par un haut mur de scène, la *frons scaenae*. Ce mur, percé de trois portes, est décoré de colonnes et de niches. Les acteurs jouent sur une estrade appelée *proscaenium*, tandis que le public est installé dans les gradins, la *cavea*. Les spectateurs sont placés selon leur rang social, les meilleures places étant celles du bas.

Théâtre d'Orange construit à l'époque augustéenne, l'un des théâtres les mieux conservés de l'Empire.

Masque, fin du Ier siècle av. J.-C.-début du Ier siècle apr. J.-C. : conçu pour être déposé dans une tombe ou offert dans un sanctuaire, ce masque en terre cuite imite les masques que portent les acteurs.

Les représentations théâtrales

Les représentations théâtrales font partie des jeux offerts aux dieux. Apparus au IVe siècle av. J.-C., ce sont des spectacles rituels chantés et dansés. Ils s'inspirent du théâtre étrusque et grec. Il existe trois genres différents : la comédie (*fabula palliata* ou *fabula togata*), la tragédie, inspirée de légendes ou de sujets historiques romains, et le mime. La comédie et la tragédie disparaissent à la fin de la République pour laisser place aux mimes et pantomimes avec davantage de chant et de danse. Les personnages sont joués par des hommes qui portent des masques en bois, en cuir, en cire ou autre. Acteurs, chanteurs et musiciens sont des esclaves ou des affranchis. Certains sont célèbres et fortunés grâce à la protection de personnes puissantes.

Figurine d'acteur en os, IIIe siècle apr. J.-C. ? : personnage de l'esclave réfugié sur un autel.

Les Muses

Divinités de la littérature, de la musique et de la danse, puis de toutes les activités intellectuelles, les Muses sont les filles de Zeus et de Mnémosyne (la Mémoire). Leur nombre, leurs noms et leurs attributs, qui varient selon les époques, sont fixés au Ier siècle apr. J.-C. : elles sont désormais neuf. Chacune protège un domaine particulier : Calliope, la poésie épique, Clio, l'histoire, Erato, la poésie lyrique, Euterpe, le jeu de la flûte, Melpomène, la tragédie, Polymnie, la pantomime, Terpsichore, la danse, Thalie, la comédie et Uranie l'astronomie. Elles insufflent l'inspiration aux artistes et aux savants.

Melpomène, fragment de peinture murale provenant du domaine de Julia Felix à Pompéi, 62-79 apr. J.-C. →

PETIT APERÇU DE LA LITTÉRATURE LATINE

Les sources littéraires sont un témoignage précieux pour notre connaissance de la civilisation latine, même si peu de textes nous sont finalement parvenus. Elles sont de natures diverses. Certaines relèvent de l'histoire (Tite-Live, Tacite, Suétone), de la politique (Cicéron) et du droit, d'autres du théâtre (Plaute, Térence, Sénèque) ou de la poésie (Horace, Virgile). Elles peuvent être de nature encyclopédique (*Histoire naturelle* de Pline l'Ancien) ou prendre la forme d'un traité théorique (*Sur l'Architecture* de Vitruve).

L'EMPIRE : D'AUGUSTE AUX ANTONINS (27 AV. J.-C.-192 APR. J.-C.)

Avec Auguste débute ce que nous appelons "l'Empire". Cependant, à Rome, le régime continue de s'appeler *res publica* même s'il est dirigé par un seul homme qui porte le titre d'"Auguste" et se fait appeler *imperator*, nom auparavant réservé aux généraux victorieux.

Auguste et le principat (27 av. J.-C.–14 apr. J.-C.)

En 27 av. J.-C., le Sénat donne à Octave le titre d'"Auguste". Un nouveau régime se met en place : le principat. Soucieux de s'éloigner du modèle du roi hellénistique, Auguste se présente comme *princeps senatus*, le premier des sénateurs. Au fil de son règne, et avec l'accord du Sénat, il concentre peu à peu tous les pouvoirs. Rome est embellie de nombreux monuments publics. Cette période est considérée comme un âge d'or. Les actions menées par Auguste sont bien connues grâce au testament qu'il écrit à la fin de sa vie, les *Res gestae*. La succession d'Auguste est problématique. N'ayant pas de fils, Auguste souhaite que son neveu et gendre Marcellus lui succède. Mais celui-ci meurt prématurément, tout comme ses héritiers directs. C'est finalement Tibère, fils d'un premier mariage de sa femme Livie, adopté par Auguste, qui lui succède.

Portrait d'Auguste, vers 27 av. J.-C.

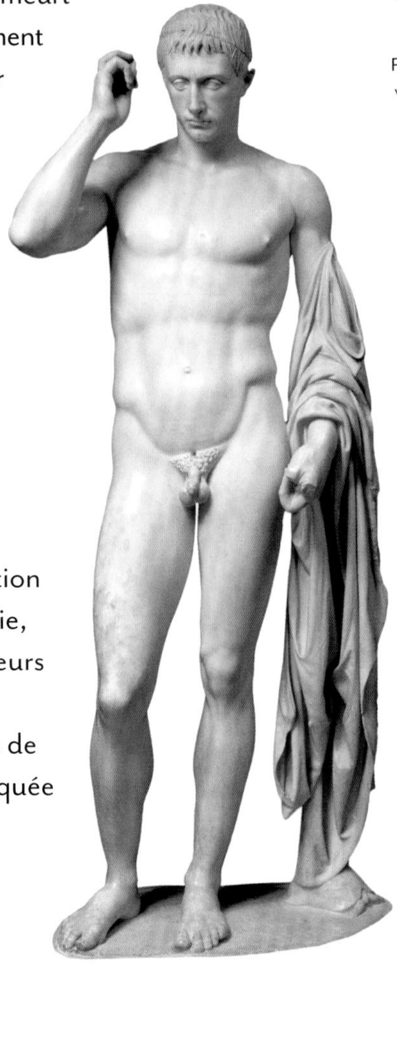

Les Julio-Claudiens (14-68)

La dynastie des Julio-Claudiens tient son nom de l'association de deux familles, les Julii par Auguste et les Claudii par Livie, puis Tibère. Cette dynastie voit se succéder quatre empereurs dont les liens sont soit la filiation, soit l'adoption : Tibère, Caligula, Claude et Néron. Le régime du principat s'affirme de plus en plus comme une monarchie. Cette époque est marquée par de nombreuses conspirations.

Statue de Marcellus, sculptée par Cléoménès l'Athénien vers 20 av. J.-C. Il est représenté comme le dieu Hermès.

Les Flaviens (69-96)

Après 69, année d'instabilité politique qui voit se succéder quatre empereurs, s'installe la dynastie flavienne. C'est la seule dynastie où la succession s'effectue uniquement par filiation. À l'empereur Vespasien succèdent ses deux fils, Titus, puis Domitien. Vespasien et Titus dirigent l'Empire avec habileté et efficacité. Si Domitien s'inscrit dans cette lignée les premières années, la fin de son règne est marquée par la terreur. Il meurt d'ailleurs assassiné en 96.

Statue de Titus, fin du Ier siècle apr. J.-C.

Les Antonins (96-192)

Choisi par les assassins de Domitien, Nerva, sénateur influent, succède à Domitien. Son règne marque un retour au calme. Les empereurs de la dynastie suivante, dominée par la famille des Antonins (Trajan, Hadrien, Antonin le Pieux, Marc Aurèle et Commode), se succèdent par adoption, excepté Commode, qui est le fils de Marc Aurèle. Avec Trajan, l'Empire n'a jamais été aussi étendu. Cette dynastie correspond à la période d'apogée de l'Empire.

↑ Portrait d'Hadrien en bronze, vers 140 apr. J.-C.

Buste de Marc Aurèle, vers 170 apr. J.-C., découvert à Acqua Traversa (aux environs de Rome). ↗

LE POUVOIR IMPÉRIAL

La mise en place d'un nouveau régime politique sous Auguste se traduit par l'élaboration et la diffusion de nouvelles images officielles qui symbolisent le pouvoir de Rome.

Auguste et la diffusion de l'image impériale

À partir d'Auguste est élaborée l'image que l'empereur veut donner de lui-même à tout l'Empire. Ce portrait, dont le prototype est conçu à Rome dans l'entourage impérial, est ensuite reproduit sur différents supports comme les monnaies et les statues. Chaque habitant de l'Empire doit connaître le visage de l'empereur, qui incarne l'autorité et le pouvoir de Rome.

Plusieurs types de portraits peuvent être créés au cours d'un même règne afin de véhiculer différents messages. Ces portraits sont de dimensions variées, du très petit au colossal, et sont réalisés dans des matériaux divers, des plus précieux (métaux précieux, pierres dures, bronze, marbre) aux plus modestes (terre cuite).

Buste d'Auguste en calcédoine, début du Ier siècle apr. J.-C. La monture en bronze doré et émaillé date du XVIIIe siècle.

L'idéologie impériale : l'*Ara Pacis Augustae*

Élevé sur le Champ de Mars entre 13 et 9 av. J.-C. et dédié par le Sénat à la Paix lors du retour victorieux d'Auguste d'Espagne et de Gaule, l'*Ara Pacis Augustae* (autel de la Paix d'Auguste) est un monument emblématique de la politique menée par Auguste et de l'idéal qu'il veut transmettre. L'autel est entouré d'une enceinte de marbre au décor sculpté. Sur les petits côtés, des reliefs évoquent notamment les origines mythiques de Rome, tandis que sur les longs côtés se déroule, pour la réalisation d'un sacrifice, une double procession composée de prêtres, du Sénat, d'Auguste et de la famille impériale. Au-dessous de ces reliefs, un décor végétal présentant une nature foisonnante mais ordonnée symbolise la prospérité que l'empereur apporte à l'Empire. Le message est clair : Auguste se considère comme le nouveau fondateur de Rome qu'il fait entrer dans un nouvel âge d'or.

Fragment de l'*Ara Pacis*. ↑
Ara Pacis Augustae. →

Apothéose d'Antonin et Faustine, 161-162 apr. J.-C.

La divinisation et le culte impérial

À la mort d'un empereur, le Sénat peut décider, par un vote, d'en faire un dieu. Cette faveur est accordée pour la première fois à Jules César. Après lui, certains empereurs seront élevés au rang divin. L'empereur devenu dieu reçoit un temple ; un **flamine*** particulier s'occupe de son culte et un collège de prêtres peut être constitué, les *augustales*, d'origine sociale modeste. L'empereur défunt peut être représenté sous la forme d'un dieu du panthéon classique avec ses attributs. Le successeur de l'empereur divinisé obtient le titre de "fils de dieu". De son vivant, l'empereur a la possibilité de faire accéder son épouse ou des personnes de son entourage au statut de dieu. Par exemple, à la mort de son favori Antinoüs, noyé dans le Nil à l'âge de vingt ans, l'empereur Hadrien décide d'en faire un dieu et de lui accorder un culte. À l'inverse, certains empereurs, mal-aimés du Sénat et du peuple, n'y ont pas droit, comme Tibère, Caligula ou Néron. Certains, comme Néron, Domitien, Commode ou Géta – assassiné par Caracalla, son frère devenu empereur –, sont même victimes de *damnatio memoriae* : leurs noms sont effacés des inscriptions et leurs portraits détruits.

Flamine : voir page 34.

Antinoüs en Dionysos vers 130 apr. J.-C. ↗

LES DEMEURES IMPERIALES

Berceau de la ville de Rome, la colline du Palatin accueille les résidences des empereurs. Le nom *Palatium* a d'ailleurs donné le mot "palais". L'empereur Hadrien choisit de s'installer à Tivoli, au nord-est de Rome.

Les maisons d'Auguste et de Livie sur le Palatin

Né sur le Palatin, Auguste choisit d'y habiter et d'agrandir sa maison par l'achat de propriétés voisines. Il tire parti de l'existence de nombreux temples sur la colline pour affirmer sa proximité avec les dieux, notamment Apollon.

Livie, son épouse, réside dans une maison à côté de la sienne, qui constitue comme une annexe. Le successeur d'Auguste, Tibère, y construit un vrai palais, que Caligula agrandira.

Le projet fou de Néron : la *Domus Aurea*

Après l'incendie de Rome en 64 apr. J.-C., Néron décide de se faire construire un immense palais entre le Palatin et l'Esquilin, la *Domus Aurea*, "maison dorée" ou "maison de l'âge d'or". Créée entre 64 et 68 par les architectes Servus et Celer, et décorée par le peintre Famulus, cette demeure fait scandale. En effet, souhaitant agrandir son palais précédent, la *Domus Transitoria*, Néron a exproprié certains habitants du quartier et sa nouvelle résidence est remplie de chefs-d'œuvre provenant du monde grec. Son palais se compose de plusieurs bâtiments, de vastes jardins, d'un lac artificiel et de fontaines monumentales. La pièce la plus impressionnante est sans doute la *cenatio rotunda*, salle à manger circulaire qui tourne en permanence. L'ensemble est décoré de peintures et de mosaïques. Deux tiers de la *Domus Aurea*, redécouverte à la fin du XVe siècle, sont aujourd'hui conservés.

← Portrait de Néron, 50-70 apr. J.-C. : cette tête appartient à une statue équestre en bronze dont le bras gauche est également conservé au Louvre.

↓ Reliefs provenant du théâtre maritime de la Villa Hadriana, vers 125-130 apr. J.-C.

Le palais de Domitien sur le Palatin

Après l'incendie de Rome en 80 apr. J.-C., est construite sur le Palatin une nouvelle résidence impériale à partir d'un édifice antérieur, la *Domus Domitiana*. Ce nouveau palais est l'œuvre de l'architecte Rabirius. Il comprend deux espaces distincts : la *Domus Flavia*, consacrée aux manifestations officielles, comporte une salle d'audience, l'*Aula Regia*, et une salle de banquet ; mitoyenne de celle-ci, la *Domus Augustana* abrite les appartements privés de l'empereur et de sa famille et s'organise autour de trois cours successives. L'ensemble, complété par un vaste jardin, est doté d'un riche décor statuaire.

Satyre du Palatin, vers 80 apr. J.-C., sans doute d'après un original grec du IVe siècle av. J.-C. Il a été trouvé dans le palais de Domitien. →

← Portrait de Domitia, femme de Domitien, vers 90 apr. J.-C., trouvé dans le palais de Tibère sur le Palatin.

La Villa Hadriana à Tivoli

Hadrien choisit le site de Tivoli pour se faire construire, vers 125-130 apr. J.-C., une grande résidence qui occupe près de deux cents hectares. Elle est composée de nombreux bâtiments aux architectures variées, tout en courbes et contre-courbes. Certaines parties du palais, comme le **Canope***, évoquent des régions exotiques de l'Empire. La partie que l'on nomme "théâtre maritime" est composée d'un pavillon circulaire isolé sur une île à laquelle on accède par deux ponts de bois amovibles : l'empereur pouvait donc s'y retirer sans être dérangé. Une grande place est accordée aux jeux d'eau avec de multiples fontaines. Des copies d'œuvres célèbres de l'art grec constituent en partie le décor de cette villa.

Canope : canal qui reliait Alexandrie à la ville de Canope, en Égypte.

Vue de la Villa Hadriana, le théâtre maritime.

LES RELIGIONS

Occupant une place primordiale dans la civilisation, la religion romaine est polythéiste et tolérante : les Romains ont des dieux pour tous les aspects de la vie quotidienne. Ils acceptent facilement les nombreux cultes venus d'ailleurs.

La religion traditionnelle

Les principaux dieux de la religion romaine s'inspirent des dieux du panthéon grec. Au sommet de la hiérarchie se trouve la triade capitoline : Jupiter, maître du ciel, Junon, son épouse, et Minerve, divinité de la guerre, de la sagesse, et protectrice des arts et des métiers. Nous pouvons aussi citer Vénus, déesse de la beauté et de l'amour, Diane, déesse chasseresse, Apollon, dieu protecteur des arts ou encore Mars, dieu de la guerre. À côté de ces divinités principales sont honorés des dieux purement romains comme Janus, dieu des passages, ou des divinités mineures comme Flora, qui préside à tout ce qui fleurit.

Diane de Gabies, œuvre du début du Ier siècle : Diane est identifiable grâce à sa tunique courte et à ses sandales. →

Les cultes orientaux : de l'Orient...

Le premier culte oriental introduit à Rome est celui de Cybèle, la Grande Mère des dieux, venue d'Asie Mineure. En 204 av. J.-C., à la suite d'une prophétie, le Sénat fait venir à Rome la "pierre noire" de Cybèle pour aider les Romains à remporter la deuxième guerre punique. Après la victoire, un temple est construit en l'honneur de la déesse sur le Palatin. Déesse de la fertilité, son culte est un des plus grands **cultes à mystères*** de l'Empire. Dans la seconde moitié du Ier siècle av. J.-C., le culte de Mithra est introduit à Rome. Il se diffuse dans l'Empire grâce aux soldats et aux marchands. C'est aussi un culte à mystères, réservé aux hommes. Aux alentours du solstice d'hiver, vers le 21 décembre, un taureau est sacrifié. Son sang et sa semence fécondent l'univers et permettent la victoire du soleil sur la nuit. Chaque sanctuaire de Mithra, *mithraeum*, est souterrain et reproduit la grotte dans laquelle le dieu Mithra a tué le taureau.

Relief mithriaque à double face, IIe-IIIe siècle : cette face représente le sacrifice du taureau.

… à l'Égypte

La conquête de l'Égypte a introduit à Rome de nouveaux dieux. Créé par un souverain égyptien, Sarapis est la synthèse de plusieurs divinités. Dieu universel et guérisseur, il est lié à la fertilité. Rome le considère comme le dieu principal de l'Égypte et adopte son culte. Sous les Sévères (voir p. 54), il protège certains empereurs et garantit les succès militaires. Sarapis est associé à la déesse égyptienne Isis dont le culte est également pratiqué à Rome. Elle est souvent assimilée à Cérès pour son lien avec la nature, mais également à Vénus-Aphrodite.

Aphrodite-Isis, IIe siècle :
image de l'association d'Isis et d'Aphrodite.

Tête de Sarapis, découverte au *serapeum* de Carthage, fin IIe-début IIIe siècle : il est coiffé du *modius*, instrument de mesure du blé, orné d'épis de blé et de rameaux, symboles de la fertilité.

Les monothéismes

Deux religions monothéistes coexistent également dans l'Empire : le judaïsme, très ancien, et le christianisme, qui en est issu. Toutes deux sont diversement tolérées et font l'objet de persécutions. En 64 apr. J.-C., Néron accuse les chrétiens d'avoir provoqué l'incendie de Rome et ordonne une persécution violente et meurtrière. Refusant de pratiquer le culte à l'empereur, les chrétiens sont considérés comme une menace pour la stabilité de l'État et se cachent pour pratiquer leur religion. Leur sort dépend de l'empereur au pouvoir. Au début du IVe siècle apr. J.-C., Constantin leur accorde la liberté de culte et, à la fin du même siècle, Théodose interdit les cultes païens.

Sarcophage représentant des scènes de l'Ancien
et du Nouveau Testament, première moitié du IVe siècle.

Culte à mystères : forme secrète de culte réservé seulement aux initiés.

LES PRATIQUES RELIGIEUSES

Les cultes attachés à la religion romaine traditionnelle sont très codifiés et comportent des rites précis.

Les prêtres

Les prêtres chargés des cultes sont regroupés dans le collège des pontifes sous l'autorité du *pontifex maximus* (grand pontife). À partir de César, cette fonction est exercée par tous les empereurs jusqu'à la fin du IVᵉ siècle apr. J.-C. Les pontifes organisent le culte public, fixent le calendrier des fêtes et supervisent les cultes privés. Issus des familles patriciennes ou de la plèbe, ils portent, dans leur fonction religieuse, la ***toga praetexta****, dont un pan recouvre la tête. Les quinze flamines, soumis à des règles de vie strictes, sont des prêtres nommés à vie au service d'un dieu particulier. Sous l'Empire, ils sont aussi associés au culte impérial. Recrutées au sein des familles patriciennes par le *pontifex maximus*, les **vestales*** sont chargées de veiller sur le feu sacré du temple de Vesta et de garder certains objets sacrés.

Portrait de flamine, daté entre 250 et 265 apr. J.-C.: il porte le bonnet de cuir blanc des flamines.

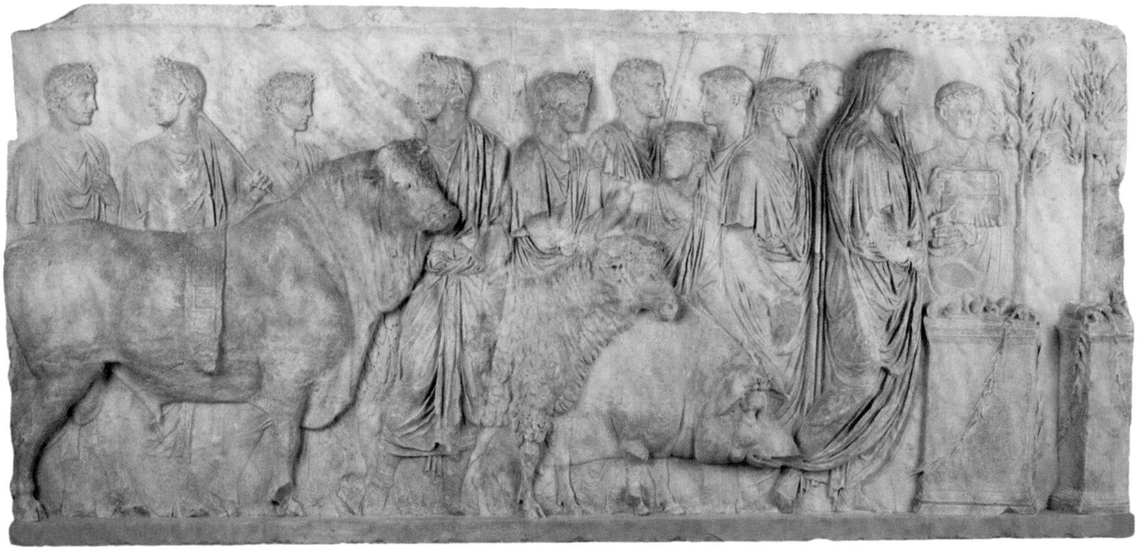

Le sacrifice

Le sacrifice est un don offert aux dieux. La plupart du temps, on sacrifie un animal (un mouton, un porc et, lorsqu'il s'agit d'un sacrifice prestigieux, un taureau). La cérémonie est très codifiée. La victime, soigneusement choisie et parée de rubans, est emmenée en procession vers l'**autel***. Elle est aspergée d'eau afin de lui faire baisser la tête en signe d'assentiment. L'animal est ensuite tué, son sang versé sur l'autel, ses chairs partagées entre les participants, les entrailles données au dieu.

Relief, début du Iᵉʳ siècle apr. J.-C. : *suovetaurile*, sacrifice au dieu Mars d'un porc, d'une brebis et d'un taureau.

Maison carrée de Nîmes, fin du Ier siècle av. J.-C., temple dédié par Auguste à la gloire de ses deux petits-fils, Lucius Caesar et Caius Caesar.

Panthéon de Rome : il est dominé par une coupole d'un diamètre de 43,30 m, la plus grande du monde romain.

Le temple

Même si seul l'autel est indispensable pour pratiquer le culte d'un dieu, le temple est la maison de la divinité et abrite sa statue de culte. Le temple est dédié à un dieu après avoir été consacré par les augures* et les pontifes. Seuls les membres du clergé y ont accès. Le temple romain s'inspire des modèles grec et étrusque. Édifice rectangulaire ou circulaire, avec une colonnade en façade, il repose sur un podium assez haut muni d'escaliers. Rares sont les temples qui nous sont parvenus intacts. Deux exemples sont significatifs : la Maison carrée de Nîmes et le Panthéon de Rome. Temple dédié à toutes les divinités, le Panthéon est construit au Ier siècle av. J.-C. puis reconstruit sous Hadrien, au IIe siècle apr. J.-C.

LA DIVINATION

Pour chaque décision importante à prendre, les Romains ont besoin de l'accord des dieux. Il faut donc interpréter les messages divins. Par exemple, les augures étudient le vol des oiseaux. L'augure délimite au sol un espace où il observe la direction du vol et les cris des oiseaux. Lors des campagnes militaires, on s'intéresse particulièrement à l'appétit des poulets sacrés : si ceux-ci mangent avant la bataille, le présage est bon et on peut lancer une attaque. Une autre forme de divination consiste à lire dans les entrailles des animaux sacrifiés.

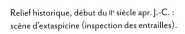

Relief historique, début du IIe siècle apr. J.-C. : scène d'extaspicine (inspection des entrailles).

Toga praetexta : "toge prétexte" bordée de pourpre, portée par certains magistrats, les prêtres et les enfants nés libres jusqu'à dix-sept ans.
Vestale : voir p.9
Autel : table où se déroulent les rites et les sacrifices.
Augure : prêtre chargé d'interpréter les phénomènes naturels.

LES CITÉS ENSEVELIES

Automne 79 apr. J.-C. : le Vésuve, volcan qui domine la baie de Naples, entre en éruption et recouvre de cendres plusieurs cités de Campanie. "Des monceaux de cendres couvraient tous les objets, comme d'un manteau de neige", raconte Pline le Jeune dans une lettre écrite à l'historien Tacite en 104. Ensevelies, les cités campaniennes ont été préservées et sont un précieux témoin de la vie quotidienne des Romains au Ier siècle.

La découverte

Au milieu du XVIIIe siècle, les villes d'Herculanum et de Pompéi sont découvertes. Enterrée sous une très épaisse couche de boue dure, Herculanum est plus difficile à fouiller que Pompéi, ensevelie sous la cendre. Dans un premier temps, les fouilles visent à exhumer des objets d'art qui enrichissent collections privées et musées. C'est dans un second temps que les archéologues procéderont de manière organisée et mettront au jour les villes par quartiers en exhumant l'intégralité des maisons.

Triclinium de la maison de Neptune et d'Amphitrite à Herculanum.

Des villes surgissant du passé

En visitant Pompéi ou Herculanum, nous sommes immédiatement plongés au cœur d'une cité romaine. Nous pouvons arpenter les rues bordées de maisons et de boutiques, comme des boulangeries ou encore des "bars" *(thermopolia)*. À Pompéi, nous nous imaginons la vie civique au forum ou les loisirs dans le quartier des théâtres. Des graffitis sur les murs rappellent la vie de tous les jours. En entrant dans les maisons, nous passons de pièce en pièce et admirons les peintures et les mosaïques encore conservées sur place.

Vue de Pompéi.

Femmes au chevreau, fragment de peinture murale provenant de Pompéi, milieu du Ier siècle apr. J.-C.

Génie ailé de Boscoreale provenant de la *villa* de Fannius Synistor à Boscoreale, près de Pompéi, fin du Ier siècle av. J.-C. →

Les peintures murales

Les murs des maisons campaniennes étaient tous décorés de peintures.
La technique employée est dite *a fresco* car les pigments de couleur sont appliqués sur l'enduit encore humide afin de se mêler à lui. Les peintres devaient donc être très rapides dans l'exécution du décor.
Les premières peintures murales reproduisent la structure d'un mur. Ensuite, des architectures avec une ouverture sur l'extérieur ou des paysages sont dessinés comme de véritables trompe-l'œil.
Dans certaines maisons, des "tableaux" aux thèmes mythologiques ornent le centre de la paroi.

LE TRÉSOR DE BOSCOREALE

Certaines *villae* ont livré des ensembles exceptionnels, témoins de la richesse de leur propriétaire.
En 1895, à Boscoreale, un "trésor" composé de cent neuf pièces de vaisselle, objets de toilette et bijoux a été retrouvé, enfoui - et protégé - dans une citerne d'une *villa* vinicole.
Très bien conservés, ces objets d'argent et d'or offrent une grande variété de formes et de décors conçus avec raffinement. Tous témoignent de la maîtrise technique atteinte par les orfèvres campaniens au tournant de notre ère. Les thèmes figurés sont variés : décor végétal et animalier qui illustre le goût des Romains pour la nature et les jardins, sujets mythologiques, allégoriques et philosophiques qui servaient de prétexte à la discussion. Deux coupes présentent des images historiques, où l'on reconnaît les empereurs Auguste et Tibère. La vaisselle d'apparat pouvait donc aussi être le support d'un message politique.

Trésor de Boscoreale.

LA MAISON

Dans l'Empire, trois types d'habitations coexistent. La *domus* est une maison de ville et la *villa* s'apparente à une maison de campagne qui peut comporter une partie d'habitation et une partie d'exploitation agricole. Les Romains les moins aisés logent dans des immeubles, les *insulae*.

Les pièces ouvertes au public

La maison romaine est fermée sur elle-même. Les pièces sont réparties autour d'une cour centrale, l'*atrium*. Des colonnes supportent la toiture, ouverte en son centre *(compluvium)*, qui permet de laisser entrer l'air, la lumière et la pluie. Celle-ci est récupérée dans un bassin *(impluvium)* au centre de la cour. Sous l'influence du modèle hellénistique, les riches *villae* se dotent de **péristyles***. L'*atrium* appartient à la partie publique de la *domus*, tout comme la pièce située dans l'axe de l'entrée, le *tablinum*. Réservée au maître de maison, celle-ci abrite les archives de la famille, notamment sous forme de tablettes de bois enduites de cire *(tabulae)*. Cette pièce sert aussi à recevoir les clients, des hommes libres qui rendent des services en échange de la protection du maître de maison.

L'*atrium* de la maison Samnite à Herculanum. On y distingue le *compluvium* et l'*impluvium*. →

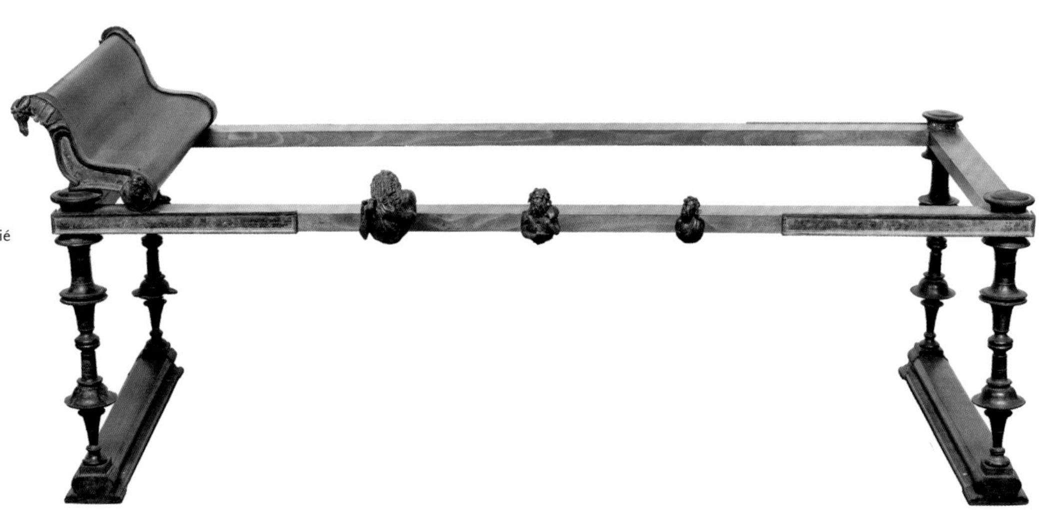

Lit en bronze, milieu ou seconde moitié du IIe siècle av. J.-C., recomposé à partir d'éléments antiques.

Les pièces réservées à la famille et aux amis

La salle à manger est appelée *triclinium* car y sont disposés trois lits (*klinè* en grec), sur lesquels on mange à demi-couché lors des grandes réceptions. Les lits, de trois places chacun, en bois et en métal, disposés autour d'une table, sont couverts de matelas et de coussins.
Lors du banquet, le maître de maison exhibe sa vaisselle d'apparat, dont le décor est commenté par les convives. Selon la richesse de l'hôte, la vaisselle peut être en argent, en bronze, en céramique ou en verre. Des lampes en terre cuite éclairent la pièce ; elles sont en bronze chez les plus riches.
Des esclaves préparent le repas et font le service. Certaines demeures ont aussi un *triclinium* d'été où l'on peut manger dehors. Pour dormir, les Romains se rendent dans le *cubiculum*, la chambre à coucher.

Vaisselle en verre, céramique et bronze.

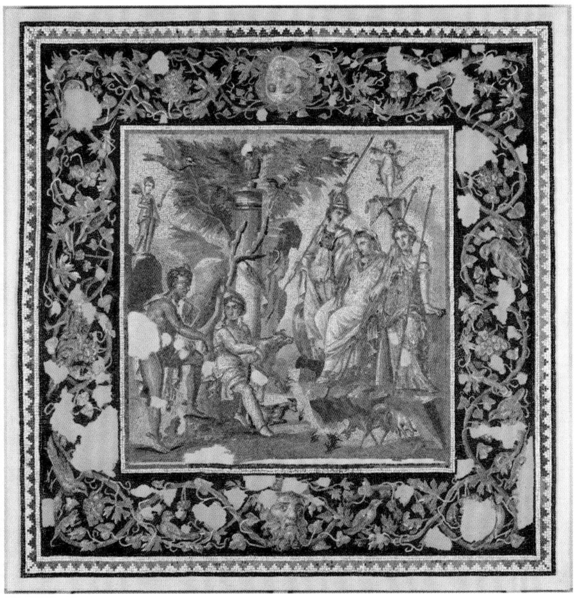

Mosaïque du Jugement de Pâris provenant du *triclinium* d'une riche demeure d'Antioche (Turquie), seconde moitié du Ier-début du IIe siècle.

Les cultes domestiques

Les Romains honorent des divinités privées, liées à leur famille et à leur foyer. Chaque maison possède un laraire, sorte de petit sanctuaire, en pierre ou en bois, située dans l'*atrium*. On y fait des offrandes aux Lares et aux Pénates, divinités du foyer. Au cours des repas, une part, laissée de côté, est jetée dans le feu pour les dieux, et des offrandes sont posées sur la table. Le *Genius* du *pater familias*, protecteur du maître de maison, est fêté le jour de l'anniversaire de ce dernier. Chaque famille peut choisir, en plus de celles-ci, d'autres divinités protectrices.

Vase aux masques, vers 80-100 : vase décoratif en marbre.

LE JARDIN

Le jardin *(hortus)* agrémente la maison romaine et est soigneusement décoré par son propriétaire. Lorsqu'il est bordé d'un péristyle, des guirlandes ou des ***oscilla****** peuvent être suspendus entre les colonnes pour être agités par le vent. L'alimentation en eau se faisant à l'extérieur des demeures, un soin particulier est apporté au décor des fontaines, bassins et margelles de puits. Des statues à l'iconographie variée ainsi que des vases décoratifs complètent ce décor.

Péristyle : colonnade entourant une cour.
Oscilla : objets décoratifs à suspendre, en forme de disque.

LA MODE

Bien connues grâce aux nombreux portraits conservés, la tenue vestimentaire, la coiffure et la parure reflètent le rang de l'individu au sein de la société. L'image impériale, diffusée dans tout l'Empire par les monnaies et les portraits, produit un phénomène de mode, adoptée par les anonymes.

La mode masculine

La coiffure portée par l'empereur, reproduite avec précision dans ses portraits, constitue un élément déterminant de son image. Par loyauté et par mimétisme, elle est adoptée par ses contemporains. Jusqu'au IIe siècle apr. J.-C., les hommes portent les cheveux courts et se rasent de près. La mode de la barbe est introduite par Hadrien, s'inspirant des Grecs de l'époque classique. Certains empereurs se teignent les cheveux. Commode va même jusqu'à se les couvrir de poudre d'or. Les empereurs soldats du IIIe siècle portent la coupe militaire et la barbe rase. À partir du IVe siècle, Constantin choisit de revenir à la coupe courte et au rasage de près, sans doute pour s'inscrire dans la lignée de grands empereurs tels qu'Auguste ou Trajan.

Portrait d'homme, dit Persée, vers 160-165 apr. J.-C. →

La coiffure

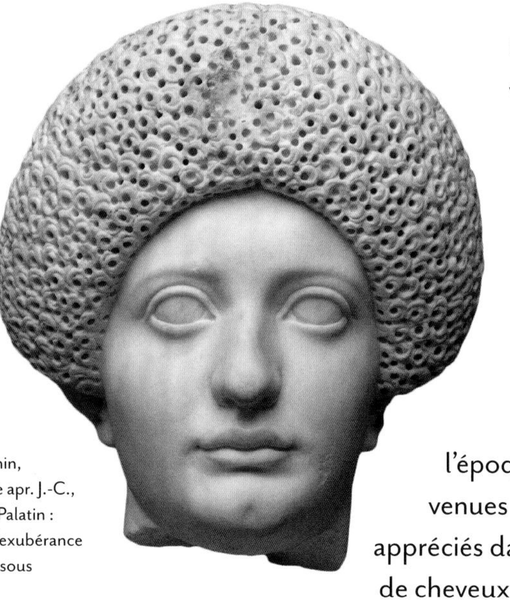

Portrait féminin, fin du Ier siècle apr. J.-C., trouvé sur le Palatin : exemple de l'exubérance des coiffures sous les Flaviens.

Grâce à leur chevelure longue qui leur offre une infinie variété de mises en forme, les femmes de rang impérial rivalisent d'imagination pour se coiffer. Ces coiffures, qui oscillent entre sobriété et sophistication extrême suivant l'époque, sont reprises par les dames de l'Empire. À l'époque flavienne par exemple, la mode est aux cheveux bouclés en hauteur sur la tête. Ces coiffures complexes nécessitent des postiches et ne peuvent être réalisées sans une esclave. Par ailleurs, la coloration des cheveux est attestée dès le début de l'époque impériale, sans doute pour rivaliser avec les femmes venues des provinces conquises. Les cheveux blonds sont très appréciés dans l'Empire. Les femmes utilisent des perruques faites de cheveux provenant de Germanie ou se décolorent les cheveux.

La parure

Les Romaines se maquillent et portent des bijoux, comme nous pouvons le voir sur les portraits peints provenant d'Égypte. Elles utilisent des terres colorées pour les fards, de la poudre noire pour les yeux et de la craie ou du plomb pour le fond de teint. Les plus riches peuvent se parfumer grâce à des huiles. Retrouvés dans les tombes, les bijoux sont conservés en grand nombre. Bagues, colliers, bracelets, boucles d'oreilles et épingles sont réalisés en matériaux précieux (or, pierres, perles) ou plus modestes, mais cherchant à donner l'impression du luxe. Les ustensiles de toilette sont rangés dans des pyxides, petites boîtes en terre cuite, métal ou autres matériaux.

Portrait de femme dite "l'Européenne",
première moitié du IIe siècle apr. J.-C., trouvé en Égypte.
Portrait en bois peint, déposé sur la momie. →

Ensemble de bijoux provenant du trésor
de Boscoreale, Ier siècle apr. J.-C. ↓

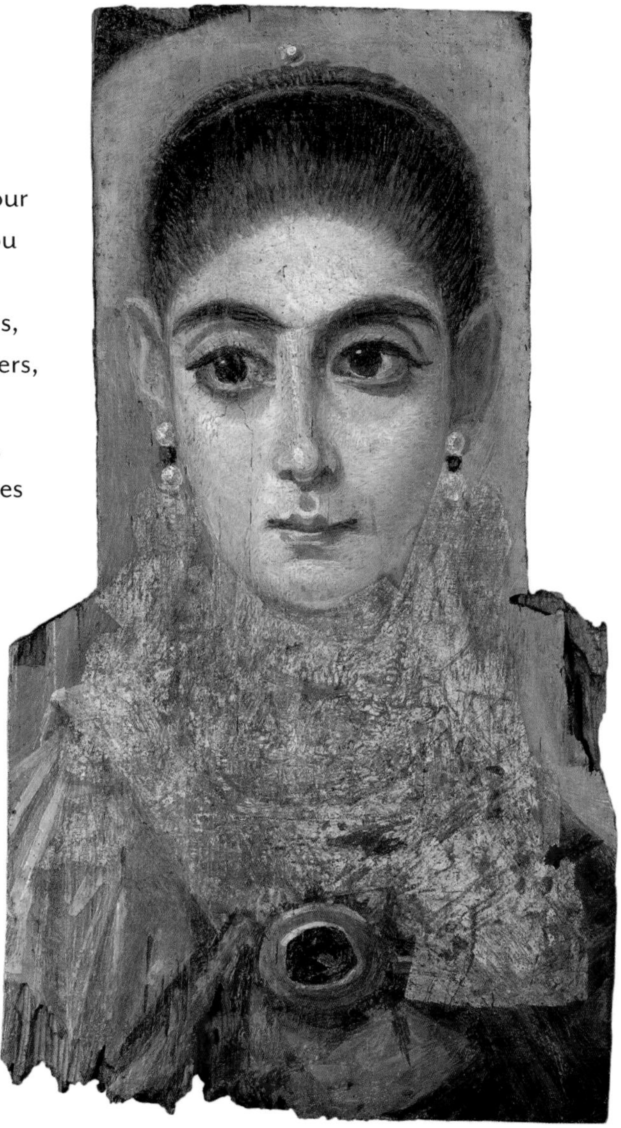

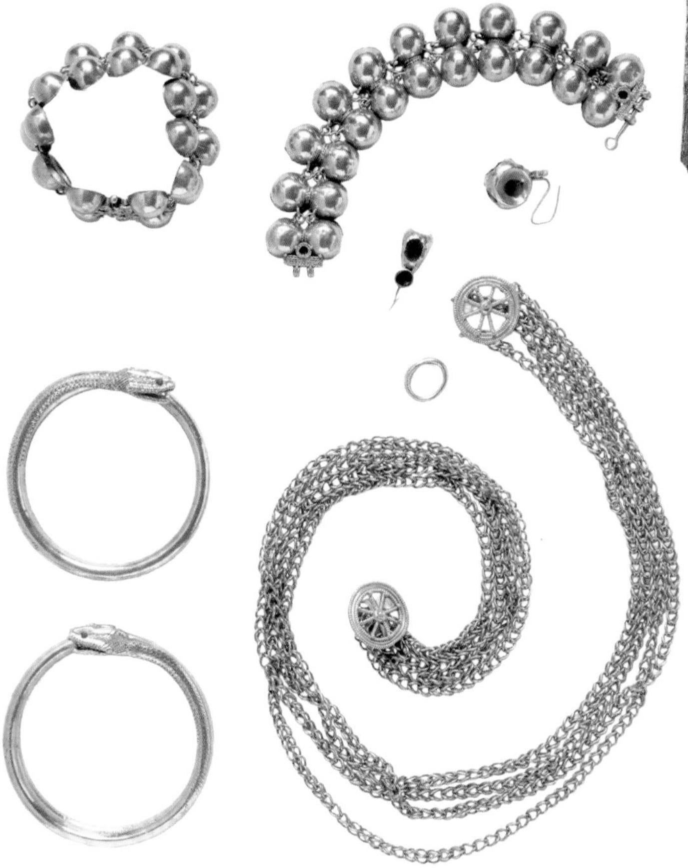

Bague de la collection Campana,
IIe-IIIe siècle apr. J.-C.

L'ENFANCE

Nous connaissons assez bien la vie des enfants à Rome grâce au mobilier funéraire. Quantité de jouets ont été retrouvés dans les tombes et des reliefs ornant les sarcophages montrent des scènes relatives à l'enfance.

L'enfant citoyen

Né dans une famille de citoyens, l'enfant est citoyen par sa naissance. Néanmoins, son père peut ou non le reconnaître. S'il est reconnu, après un sacrifice de purification, le nouveau-né reçoit un nom et une *bulla*, un médaillon rempli d'amulettes, en or pour les patriciens et en cuir pour les autres enfants nés libres. Ce bijou est porté jusqu'à l'âge de quatorze ans. L'enfant citoyen romain se reconnaît à sa tenue. Il porte la ***toga praetexta****, révélatrice de son statut social.

L'enfant à la *bulla*, deuxième quart du IIe siècle : il porte une *bulla* qui était sans doute en or et la *toga praetexta*. Il appartenait donc à une famille de patriciens.

L'éducation

Le *pater familias* joue un rôle important dans l'éducation de ses enfants. Au début de la République, c'est lui qui est chargé de leur apprendre à lire, écrire, compter, et de leur inculquer les valeurs morales et le respect des lois. Plus tard, les familles aisées font appel à des esclaves ou affranchis grecs pour assurer cet apprentissage. Les enfants les moins riches se rendent à l'école publique. La lecture, l'écriture et le calcul sont enseignés aux garçons et aux filles de sept à onze ans par un *litterator*. Un *grammaticus* initie les enfants âgés de douze à seize ans aux littératures grecque et latine. Ensuite, les jeunes gens apprennent l'art de la rhétorique et de la dialectique. Ces études peuvent être complétées par un séjour dans les provinces, principalement en Grèce. L'instruction civique continue à être dispensée par le père de famille, s'il destine l'enfant à une carrière politique.

Tablette de l'écolier Papnoution, provenant d'Égypte, IVe siècle : les écoliers écrivaient sur des tablettes de bois évidées recouvertes de cire.

Les jeux

À quoi jouent les enfants à Rome ? Le mobilier funéraire retrouvé dans les tombes d'enfants nous permet d'en avoir une idée. Il est étonnant de voir à quel point leurs jouets sont proches de certains d'aujourd'hui. En effet, on y trouve des balles, des billes, des hochets, des poupées, des animaux à tirer derrière soi ou encore des osselets. Reliefs, peintures ou mosaïques illustrent les jeux pratiqués par les Romains. Par exemple, les jeux de balle sont bien représentés. Les balles sont en bois et en cuir et ne rebondissent pas. Le principe du jeu est donc de les lancer et de les attraper. Un autre jeu consiste à deviner si son partenaire tient un nombre pair ou impair de noix ou de pions dans la main qu'il cache dans son dos. Les jeux de dés sont également très populaires.

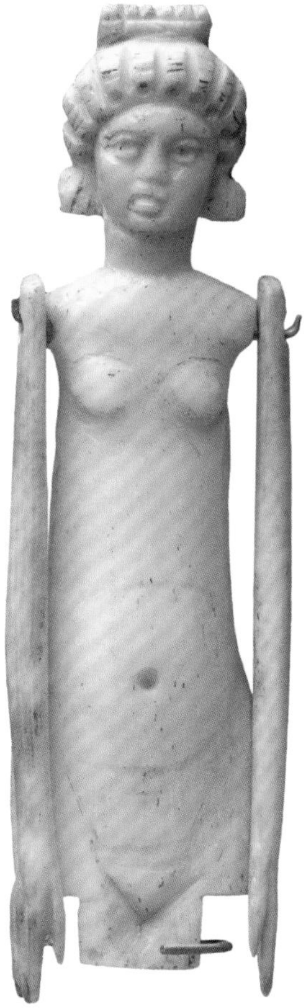

Poupée en os, IIIe siècle : les bras et les jambes (manquantes) étaient articulés.

Boîte à osselets en forme de tête d'Héraclès, vers 50 av. J.-C. Les osselets ont été conservés avec la boîte.

Devant de sarcophage de Marcus Cornelius Statius, vers 150-160 apr. J.-C. : il présente les étapes de la vie d'un enfant.

Toga praetexta : voir p. 35.

DU PAIN ET DES JEUX

"Panem et circenses" ("Du pain et des jeux"), c'est tout ce que souhaite le peuple romain selon Juvénal, poète satirique de la fin du Ier-début du IIe siècle.

L'amphithéâtre

L'amphithéâtre est un édifice de forme circulaire dont toutes les grandes villes sont dotées sous l'Empire. Le Colisée, situé au pied de l'Esquilin, à l'est du Forum, est le plus grand amphithéâtre du monde romain. Il doit son nom à son emplacement, où se trouvait une statue colossale de l'empereur Néron. Les spectateurs se répartissent dans les gradins selon leur rang social. L'arène est recouverte d'un plancher de bois qui permet de cacher couloirs de service et machinerie. En cas de forte chaleur ou de pluie, les spectateurs sont protégés par un *velum*, une bâche tendue au-dessus de l'arène. Inauguré en 80 apr. J.-C. sous les Flaviens, le Colisée a servi jusqu'au VIe siècle.

Les jeux

À l'origine, les jeux sont associés à des cérémonies funéraires, peut-être assorties de sacrifices humains. D'abord financés par de riches Romains, souvent sur le forum, les jeux sont organisés ensuite par les empereurs à Rome et par les magistrats locaux dans les provinces. Installés dans les gradins de l'amphithéâtre, les Romains assistent à des combats entre animaux ou entre hommes et animaux, lors des chasses *(venationes)*. Des animaux sauvages et exotiques viennent de tout l'Empire et sont mis en scène dans des décors naturels. Les combats de gladiateurs *(munera gladiatorum)* sont particulièrement prisés des spectateurs. La violence de ces spectacles a conduit à leur interdiction au Ve siècle. Les combats navals (naumachies), pour lesquels l'arène est remplie d'eau, constituent un spectacle impressionnant.

Colisée de Rome : 50 m de haut, 188 m de large, il pouvait accueillir jusqu'à 50 000 spectateurs !

La gladiature

↓ Lampe en terre cuite, 175-225 apr. J.-C. : scène de *venatio* entre hommes et lions.

Les gladiateurs sont des prisonniers de guerre, des esclaves ou des condamnés à mort. Pourtant, les gladiateurs les plus doués sont considérés comme des stars. De nombreux graffitis à Pompéi ainsi que la représentation de combats sur maints objets de la vie quotidienne témoignent de l'admiration qu'ils suscitent. Les gladiateurs sont formés et entraînés dans des écoles. Spectacle très codifié, leur pratique est aujourd'hui considérée plus comme un sport que comme une simple mise à mort, d'ailleurs rare. Il existe plusieurs types de gladiateurs identifiables à leurs tenues, leurs armes et leurs techniques de combat. Lorsqu'un gladiateur est blessé, il peut, en levant l'index, demander pitié au public, qui décide alors de son sort.

← Manche de couteau en forme de gladiateur thrace en os, seconde moitié du Ier siècle apr. J.-C. : le Thrace est un type de gladiateur.

↓ Casque de gladiateur thrace en bronze, troisième quart du Ier siècle apr. J.-C. : découvert dans la caserne des gladiateurs à Pompéi. Richement décoré, il a dû servir lors de parades avant le début des jeux.

Plaque en terre cuite représentant une course de quadriges, Ier siècle apr. J.-C. Il s'agit du moment crucial : le virage autour de la borne. →

Le cirque et les courses de chars

Les jeux du cirque *(ludi circenses)* sont offerts aux dieux. Le cirque est un édifice rectangulaire fermé d'un côté par un demi-cercle. La piste est divisée en deux par un muret *(spina)* avec deux bornes à ses extrémités *(metae)*. Le plus grand cirque de Rome, le *Circus Maximus*, installé dès le VIe siècle av. J.-C. entre le Palatin et l'Aventin, pouvait accueillir, sous l'Empire, jusqu'à deux cent cinquante mille spectateurs !

La course de chars consiste en sept tours de piste, comptés au moyen d'œufs ou de dauphins en bronze placés sur la *spina*. Les équipages sont répartis par équipes aux couleurs différentes, sur lesquelles le public parie. L'aurige (cocher) doit faire preuve d'une grande habileté en prenant les virages au plus près des bornes. Tous les coups sont permis et les chutes sont une véritable attraction !

LES CAMPAGNES MILITAIRES

Les campagnes militaires permettent à Rome d'étendre son territoire. Sous le commandement de l'empereur, l'armée est très organisée.

L'empereur soldat

Une des fonctions de l'empereur est de décider et de mener les campagnes militaires. L'empereur Trajan s'est particulièrement illustré dans ce domaine. Il a d'abord consolidé les frontières de l'Empire puis conquis de nouveaux territoires. Les campagnes les plus importantes sont celles menées contre les Daces (peuple de l'actuelle Roumanie) entre 101 et 107 apr. J.-C. C'est sous son règne que le territoire de l'Empire romain est le plus étendu.

Trajan cuirassé, début du IIe siècle apr. J.-C. : Trajan est représenté en train de motiver ses troupes. Le relief sur la cuirasse illustre la victoire sur les Barbares.

L'armée

Depuis la réforme de Marius, en 107 av. J.-C., l'armée romaine est une armée de métier. Celle-ci est divisée en légions d'environ 6 000 hommes, tous citoyens, répartis en 60 centuries de 100 hommes. L'aigle est l'enseigne de chaque légion. Le légionnaire perçoit un salaire, la solde, et des dons d'argent en cas de victoire. Il n'a pas le droit de se marier pendant son service. Voici l'équipement normal du légionnaire : le *gladius*, épée courte, le *scutum*, long bouclier, un casque en bronze ou en cuir et un pectoral en bronze ou une cotte de mailles. L'armée est complétée par des auxiliaires recrutés parmi les peuples conquis. Leur salaire est moins élevé et leur engagement plus long, mais ils obtiennent la citoyenneté romaine à la fin de leur service. Instituée par Auguste, la prestigieuse garde prétorienne, composée de soldats d'élite, à la solde élevée, assure la protection de l'empereur.

Relief des prétoriens, vers 51-52 apr. J.-C. →

La guerre en images : la colonne trajane à Rome

En 113 apr. J.-C., sur son forum à Rome, Trajan fait édifier une colonne commémorative dont le socle abritera ses cendres. Haute de quarante mètres, elle est couverte sur deux cents mètres d'un relief en spirale représentant les campagnes menées contre les Daces. Les principales phases de la guerre y sont figurées : départs, harangues de l'empereur, attaques, travaux de fortifications (camps, ponts, routes), scènes de sacrifices religieux, capitulation… Il s'agit d'une des meilleures illustrations de la guerre laissées par les Romains, avec la colonne de Marc Aurèle (vers 180 apr. J.-C.).

Colonne trajane.

← Détail de la colonne.

Le triomphe

À son retour d'une campagne militaire, le général victorieux est célébré lors de la cérémonie du triomphe. Richement vêtu et couronné de lauriers, debout sur un char mené par quatre chevaux blancs, le vainqueur traverse la ville depuis le Champ de Mars jusqu'au Capitole. Le cortège est composé de son armée, de magistrats, de prisonniers, et comprend le butin et les animaux à sacrifier. C'est le seul moment où l'on peut entrer en armes au sein du ***pomerium****. À l'arrivée au temple de Jupiter Capitolin, le général sacrifie lui-même les animaux et offre sa couronne de laurier au dieu. À partir du règne d'Auguste, cette cérémonie est réservée aux empereurs. L'arc de triomphe, comme la colonne, permet de commémorer les victoires qu'ils ont remportées.

Arc de Titus, élevé à l'extrémité est du Forum, entre 81 et 85 apr. J.-C., il commémore le triomphe de Vespasien et de Titus sur les Juifs et la prise de Jérusalem.

Détail : scène de triomphe. →

Pomerium : voir p. 9.

L'AFRIQUE ROMAINE

Partons à présent vers une province romaine. Les collections du Louvre nous emmènent en Afrique du Nord, notamment à Carthage, que nous avions laissée anéantie à la fin des guerres puniques (voir p. 16).

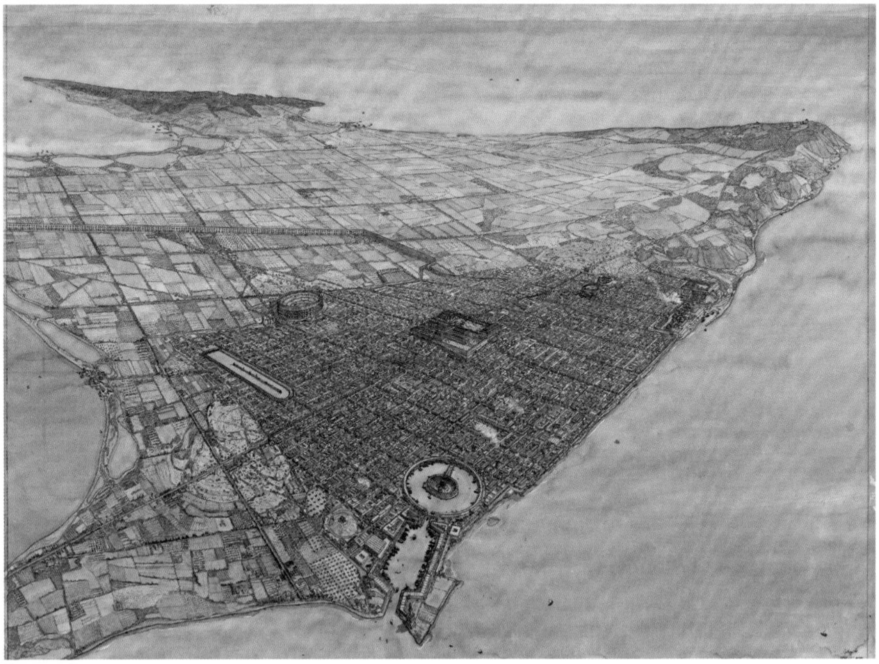

La Carthage romaine au IIIe siècle apr. J.-C. par J.-C. Golvin.

Caninius, procurateur romain en Afrique, vers 150 apr. J.-C. (tête moderne) : son titre est inscrit sur la base. →

La Carthage romaine

Après la destruction de Carthage, un rituel interdit une nouvelle occupation du site. Cependant, les Romains ont conscience que Carthage occupe un emplacement stratégique. César est le premier à s'y intéresser, mais c'est sous Octave, en 29 av. J.-C., que la ville romaine est construite.

Son plan est très régulier, organisé autour de la colline de Byrsa, où se trouve le forum, avec, notamment, une des plus grandes **basiliques*** du monde romain. Au IIe siècle apr. J.-C., Carthage est la capitale de la province d'Afrique et l'une des plus grandes villes de l'Empire. Sous les Antonins, elle est dotée d'édifices somptueux et impressionnants comme le cirque, le théâtre ou encore les thermes, en bord de mer. Comme dans les autres villes d'Afrique, les cultes locaux, hérités de la Carthage punique, sont adaptés au panthéon romain : la déesse Tanit devient *Iuno Caelestis*.

Portrait de Lucilla, épouse de Lucius Verus, seconde moitié du IIe siècle apr. J.-C. : elle a été trouvée à l'emplacement de la basilique et témoigne de son décor monumental puisque cette tête mesure 1,60 m !

Le commerce

Les terres très fertiles d'Afrique du Nord produisent majoritairement des olives et des céréales. L'Afrique du Nord est l'un des principaux fournisseurs en blé de Rome. Le port de Carthage, port africain le plus proche de Rome, permet l'approvisionnement de la ville en denrées alimentaires, qui sont gérées par un service public essentiel : celui de l'annone. En effet, c'est sous la République que ce système est mis en place. La récolte annuelle organisée par l'État est conservée pour être distribuée gratuitement en période de famine. L'Afrique est donc une province très riche, où s'étendent de vastes domaines et où la vie des cités, somptueusement parées, est intense.

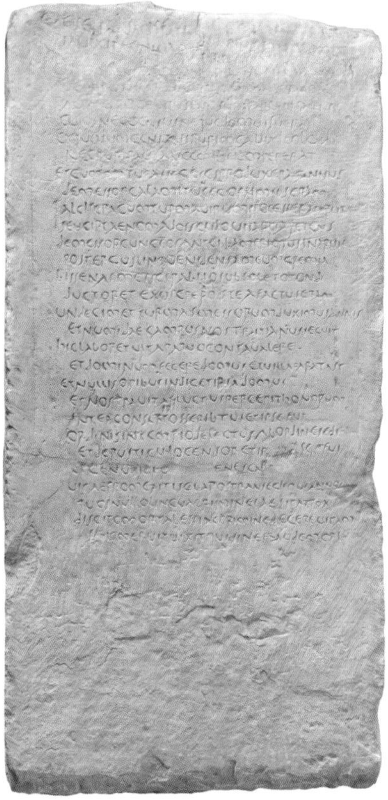

Stèle du moissonneur : récit de la vie d'un moissonneur né libre mais pauvre. À force de travail, il s'est enrichi et a atteint les honneurs les plus hauts dans sa ville de Mactar (Tunisie).

Mosaïque : triomphe de Neptune et Amphitrite, trouvée à Constantine (Algérie), premier quart du IVe siècle apr. J.-C. ↓

LA MOSAÏQUE

La mosaïque est une composante fondamentale du décor romain, qu'il soit privé ou public. Elle est surtout utilisée au sol, qu'elle imperméabilise, mais peut aussi recouvrir parois et voûtes, notamment pour décorer des fontaines.
La technique de la mosaïque consiste à assembler des **tesselles*** avec du ciment, afin de constituer un décor. La taille des tesselles est très variable et peut atteindre quelques millimètres seulement pour les mosaïques les plus fines. Ces "tableaux de pierre" sont généralement réalisés sur place, dans la pièce à orner. Toutefois, le panneau central du décor, appelé l'*emblema*, peut être fait en atelier avant d'être inséré dans un pavement de sol.
La province d'Afrique a livré un grand nombre de mosaïques marquées par des compositions et un style propres, qui se distinguent nettement des pavements produits dans d'autres régions de l'Empire.

Basilique : voir p. 12
Tesselles : cubes de pierre, de verre ou de terre cuite.

LES THERMES

Lieu incontournable de la vie quotidienne des Romains, marque de leur civilisation, les thermes sont des établissements de bains publics. Difficile à imaginer aujourd'hui mais seuls les Romains les plus aisés disposaient de bains privés dans leurs maisons !

Petite histoire des thermes

Les thermes existent déjà dans le monde grec. Ils ne sont donc pas une invention romaine, mais ce sont les Romains qui leur donnent un rôle social. Les thermes publics n'apparaissent qu'au Ier siècle av. J.-C., en Campanie. On en trouve ensuite partout dans l'Empire. Ils sont financés par l'empereur, ses proches ou de riches particuliers, des **évergètes***, et revêtent parfois un caractère grandiose. Les thermes sont fréquentés par toutes les catégories sociales, y compris l'empereur. L'entrée est gratuite ou d'un coût peu élevé. Les femmes y ont accès, à des horaires différents ou dans des secteurs séparés au sein du même établissement.

Natatio des thermes d'Hadrien à Leptis Magna (Libye).

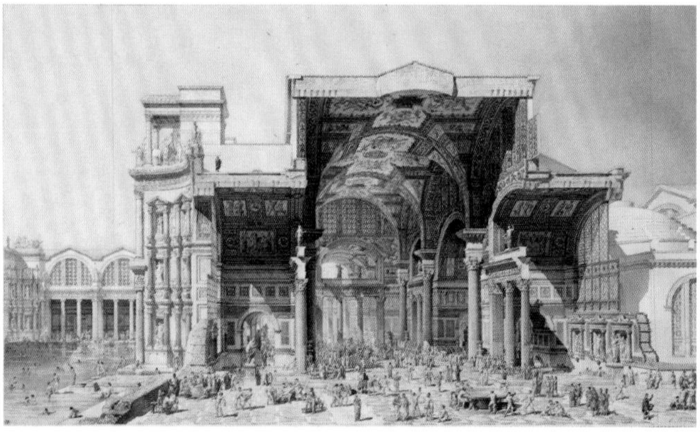

Edmond Paulin, *Thermes de Dioclétien*, 1880 : construits entre 298 et 306 apr. J.-C., il s'agit du plus grand complexe édifié à Rome : 14 000 m² et jusqu'à 3 000 baigneurs !

Un après-midi aux bains

Suivons le parcours d'un Romain aux thermes. À son arrivée, il dépose ses affaires au vestiaire, l'*apodyterium*, gardé par un esclave pour empêcher les vols. Il peut faire du sport à la **palestre*** : course, jeux de balle, haltères. Il se rend ensuite dans une étuve sèche (le *laconicum*) ou humide (le *sudatorium*). Puis il passe dans différents bains pour se refroidir progressivement : le *caldarium* (bain chaud), le *tepidarium* (bain tiède) et le *frigidarium* (bain froid). Il se fait laver avec de l'huile par des esclaves et peut également se faire masser, épiler ou parfumer comme dans un institut de beauté. Pour finir, il peut nager dans la piscine, la *natatio*. Tous les thermes sont équipés de latrines (toilettes) puisque seuls les plus riches en ont chez eux.

Hypocauste des thermes de Constantin à Arles : nous voyons les pilettes qui soutiennent le sol et entre lesquelles circule l'air chaud.

Un peu de technique

Les thermes fonctionnent grâce à la mise au point d'un système de chauffage par le sol, l'hypocauste. Un four, le *praefurnium*, produit de l'air chaud. Ce dernier circule entre les pilettes qui soutiennent le sol, passe dans les murs par des briques creuses et s'échappe par le toit. Des aqueducs acheminent l'eau dans les villes et alimentent en eau courante les édifices publics, les fontaines, ainsi que les maisons des plus riches Romains. L'aqueduc le plus célèbre en Gaule est sans doute celui de Nîmes, dont fait partie le pont du Gard.

Mosaïque du *frigidarium* des thermes de Neptune à Ostie, vers 140 apr. J. C.

Statuette d'esclave découverte dans les thermes d'Aphrodisias (Turquie), début du IIIe siècle apr. J.-C. : il tient sans doute un vase pour l'huile parfumée.

LES THERMES : LIEU SOCIAL, LIEU DE CULTURE

Les thermes ne sont pas seulement un lieu nécessaire à l'hygiène des Romains. Ceux-ci aiment s'y rendre aussi pour discuter, se détendre, conclure des affaires. Ainsi, les portiques aménagés pour la palestre servent aussi de lieu d'enseignement.
Certains thermes sont aussi des foyers de culture : bibliothèques, galeries d'œuvres d'art y sont installées. Ainsi, dans les thermes de Caracalla à Rome, on a retrouvé de nombreuses copies d'œuvres d'art grec. Les thermes les plus luxueux sont décorés de marbre et de riches mosaïques.

Évergète : particulier qui finance un monument public.
Palestre : dans le monde grec, lieu où les garçons pratiquent le sport. Il s'agit d'une cour bordée d'une colonnade, le portique.

LE MONDE DES MORTS

À Rome, tout ce qui concerne la mort répond à des pratiques précises. Le matériel trouvé dans la tombe fournit de nombreuses informations sur la vie des Romains.

Peinture de la tombe de Patron trouvée à Rome, fin du Ier siècle av. J.-C. : procession vers la tombe de Patron, médecin grec. Scène de prière aux Mânes.

Les cérémonies funéraires

Les funérailles obéissent à un rituel très codifié, connu par les sources littéraires, les monuments funéraires et l'archéologie. Le défunt est lavé, aspergé de parfums et habillé. Il est ensuite exposé, les pieds vers l'entrée, dans l'***atrium****** de sa maison, entouré de fleurs et de vases à encens. Il est veillé par sa famille, ses amis et, parfois, des pleureuses professionnelles. Un cortège funéraire accompagne ensuite la dépouille vers sa dernière demeure. Les morts sont incinérés ou enterrés en dehors de la ville, le long des routes comme la *Via Appia*. Un banquet a lieu près de la tombe ; une partie de la nourriture est réservée au défunt. Celui-ci rejoint alors le monde des morts, les *di manes*. Les Mânes sont fêtés du 13 au 21 février, lors des *Parentalia*, commémorations privées près des tombeaux. Le dernier jour des *Parentalia* ont lieu les *Feralia*, une cérémonie publique en l'honneur des morts où de la nourriture est apportée aux tombes pour être consommée par le défunt.

L'incinération

À l'époque républicaine et au début de l'Empire, les Romains ont majoritairement recours à l'incinération. Les cendres et les restes du défunt sont recueillis dans une urne en terre cuite, en pierre ou en verre, déposée ensuite dans une niche du tombeau ou du *columbarium*. Le *columbarium* est un tombeau collectif où reposent les cendres des personnes appartenant souvent à la même famille ou au même groupe social. Des centaines d'urnes cinéraires y sont placées dans de petites niches fermées par des plaques qui la plupart du temps portent des inscriptions. Hors du *columbarium*, l'emplacement des tombes est marqué par un autel qui contient l'urne. L'autel porte une inscription et est souvent richement décoré. Les urnes sont ornées de motifs végétaux puis de sujets mythologiques.

Autel funéraire d'Amemptus, affranchi de Livie, vers 50 apr. J.-C. : il est dédié aux Mânes et décoré de symboles d'immortalité.

Sarcophage figurant la légende d'Actéon, vers 125-130 apr. J.-C.

L'inhumation

À partir du IIe siècle apr. J.-C., l'inhumation remplace l'incinération. Les défunts sont alors déposés, selon leur fortune, dans des caisses de bois ou des sarcophages en terre cuite ou en pierre. Les plus pauvres sont enveloppés dans un linceul et placés directement dans la terre. Les sarcophages en marbre sont souvent richement décorés. La thématique du décor est variée : évocation de la vie du défunt ou de ses croyances, sujets mythologiques, chargés de symboles. Le portrait du défunt est parfois représenté dans un médaillon ou apparaît au sein de la scène mythologique.

Sarcophage en plomb, trouvé au Liban, Ier-IIIe siècle apr. J.-C.

LES CATACOMBES

Les catacombes sont des cimetières souterrains. On y trouve des niches *(arcosolia)*, fermées par des dalles de pierre ou des tuiles, contenant un à quatre cercueils. La crémation est interdite par le christianisme. Les murs et les plafonds sont souvent ornés de peintures. Celles-ci livrent les plus anciens témoignages matériels conservés relevant de la foi chrétienne. En effet, à l'abri des regards, les chrétiens ne sont plus obligés d'user de symboles pour exprimer leur croyance. Les catacombes de Rome sont les plus grandes connues. Elles s'étendent sur des centaines de kilomètres en dehors de la ville, le long des routes principales.

Hypogée* de la *Via Latina*, IVe siècle. ↗

Atrium : voir p. 38.
Hypogée : tombe souterraine.

L'EMPIRE MENACÉ

Après l'assassinat de Commode en 192 apr. J.-C., l'Empire traverse une période d'instabilité : six empereurs se succèdent en une année avant l'accession au pouvoir de la dynastie des Sévères. Le IIIe siècle est marqué par de nombreuses crises et l'Empire subit la menace de peuples **barbares***. Le tournant du IVe siècle apr. J.-C. marque toutefois un retour au calme.

Portrait de Septime Sévère, vers 205 apr. J.-C., découvert à Gabies (près de Rome). →

Les Sévères (193-235)

En 193 apr. J.-C., Septime Sévère arrive au pouvoir ; il est originaire de Leptis Magna (province d'Afrique, en Libye actuelle) et son épouse, Julia Domna, de Syrie. L'empereur améliore la condition de vie des légionnaires, mais crée une dépendance du pouvoir vis-à-vis de l'armée. Il lutte contre les peuples voisins et réorganise le découpage administratif de l'Empire en créant de nouvelles provinces, aux pouvoirs accrus. Rome n'est pas délaissée : elle est dotée de monuments significatifs. À Septime Sévère succède son fils, Caracalla, dont le règne est mouvementé après l'assassinat de son frère Géta. Ses neveux, Elagabal et Sévère Alexandre prennent ensuite la tête de l'Empire. À la fin de l'époque sévérienne, l'Empire commence à subir d'importantes pressions extérieures.

Portrait de Julia Domna, 193 apr. J.-C. →

La crise du IIIe siècle (235-283)

Au cours du IIIe siècle apr. J.-C., les empereurs se succèdent très rapidement et le pouvoir dérive vers une autocratie militaire. La pression des peuples barbares est de plus en plus forte. Il faut défendre plusieurs frontières simultanément. L'Empire subit l'attaque de peuples germains (Alamans, **Goths***) à l'ouest, mais aussi celle des Perses à l'est.

Parallèlement, des Barbares s'installent pacifiquement dans l'Empire et participent à sa défense au sein de l'armée romaine. Ce sont finalement des empereurs-soldats, provinciaux issus des rangs militaires, qui, grâce à des réformes ambitieuses, rétabliront et stabiliseront peu à peu l'Empire.

Muraille aurélienne, construite entre 271 et 282 apr. J.-C. : haute de 8 m, elle s'étendait sur 19 km.

Colonne des Tétrarques, en porphyre, vers 305 apr. J.-C., basilique Saint-Marc de Venise.

Dioclétien et la Tétrarchie (284-324)

Lorsque Dioclétien arrive au pouvoir en 284 apr. J.-C., il doit continuer à faire face au problème de sécurité sur les frontières. Il renforce l'armée, lutte contre la hausse des prix, divise les provinces et sépare les pouvoirs civils et militaires. Conscient de la difficulté pour un seul empereur de défendre l'Empire, Dioclétien met en place un nouveau système de gouvernement à partir de 293 : la Tétrarchie. Quatre empereurs dirigent l'Empire : deux Augustes secondés par deux Césars. Une distinction s'opère alors entre la partie occidentale, gouvernée par Maximien et Constance Chlore, et la partie orientale de l'Empire, gouvernée par Dioclétien et Galère. Rome n'est plus le centre de l'Empire. Des sièges du pouvoir sont établis près des frontières menacées.

↖ *Solidus* de Constantin : médaillon monétaire en or créé vers 324-326 apr. J.-C. Portrait de Constantin sur la monnaie.

Constantin (307-337)

Constantin succède à son père Constance Chlore, mais s'oppose à un autre Tétrarque, Maxence. L'Empire entre dans une période de guerres civiles, remportées par Constantin après la bataille du pont Milvius en 312. Favorable au christianisme après sa victoire sur Maxence, Constantin accorde en 313 la liberté de culte à toutes les religions. Il règne seul sur l'Empire à partir de 324, et procède à des réformes administratives et militaires. En 330 est inaugurée une nouvelle capitale pour l'Empire, Constantinople (Istanbul aujourd'hui), déplaçant officiellement le centre du pouvoir en Orient.

Barbares : pour les Romains, tous ceux qui ne parlent ni grec ni latin.
Goths : peuple germanique venant de la mer Baltique, descendu dans le nord de la mer Noire.

LES INVASIONS BARBARES
ET LA FIN DE L'EMPIRE ROMAIN D'OCCIDENT

Dans les années 240-270, de nombreux raids barbares ont déjà justifié la construction de murailles autour des villes de l'Empire. Mais après un répit à la fin du IIIe et au début du IVe siècle, des guerres civiles affaiblissent l'armée et favorisent les invasions. Cette instabilité politique, combinée à la pression des peuples barbares, mènera à la chute de l'Empire romain d'Occident en 476 apr. J.-C.

Les successeurs de Constantin

Au règne de Constantin succède une nouvelle période d'instabilité. En 364 apr. J.-C., a lieu un partage de l'Empire. L'Occident est dirigé par Valentinien Ier, qui défend plusieurs fronts sur le Rhin, sur le Danube et en Grande-Bretagne.

L'Orient est confié à Valens, plus soucieux de prendre sa revanche sur les Perses que de s'occuper des Goths. Les deux parties de l'Empire sont de plus en plus autonomes mais sont souvent gouvernées par des empereurs de la même dynastie.

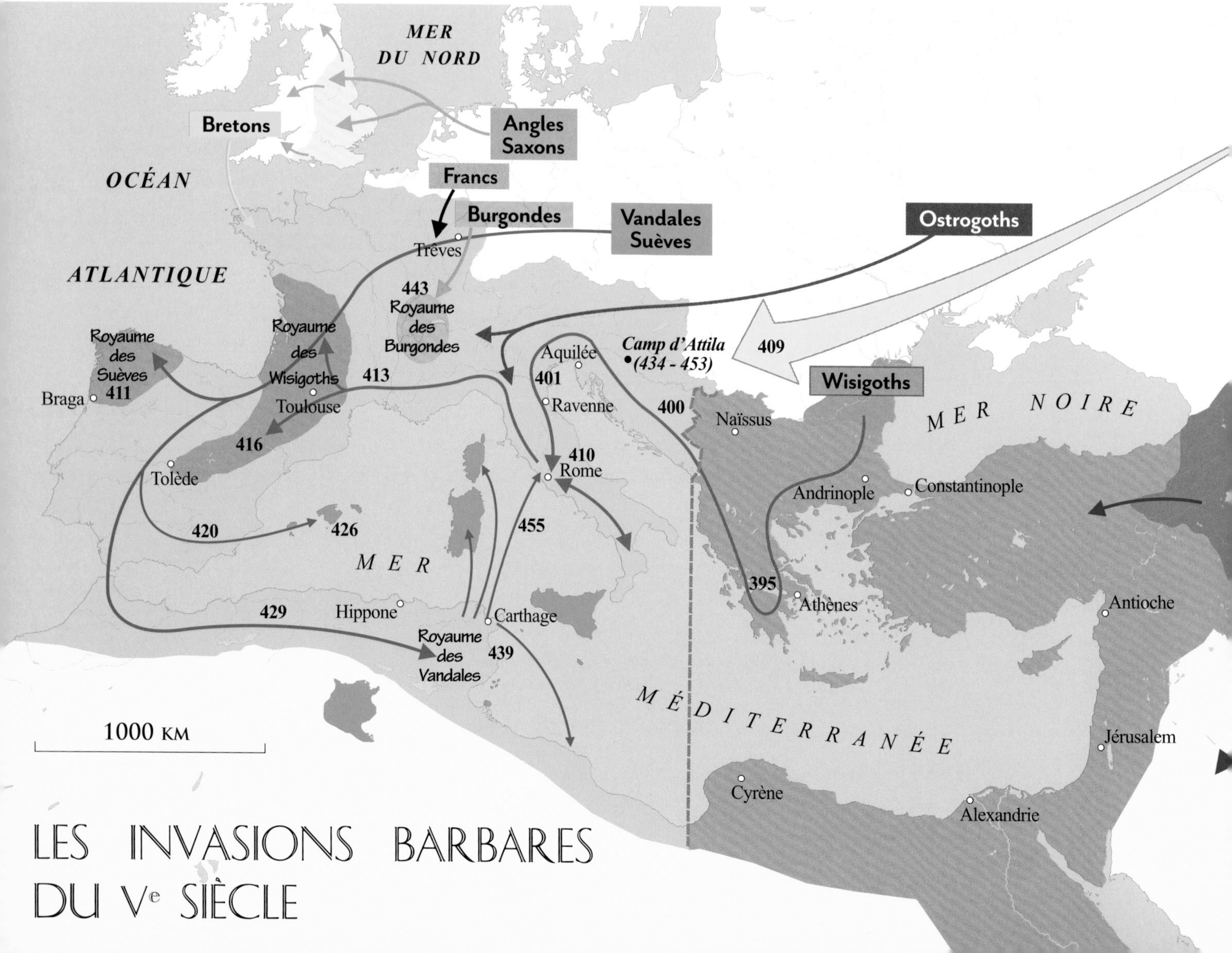

LES INVASIONS BARBARES DU Ve SIÈCLE

Les invasions barbares

À la fin du IVᵉ siècle apr. J.-C., l'Empire romain doit affronter de tous côtés la pression des peuples barbares. En 375, les Huns, peuple nomade d'Asie centrale, progressent vers l'ouest. Ils avancent vers le nord de la mer Noire, provoquant la migration des Goths vers l'Empire romain. Ceux-ci demandent à Valens s'ils peuvent se réfugier dans l'Empire. Ce dernier accepte en 376 car il veut les employer contre les Perses. Cependant, la cohabitation se passe mal et les Goths se révoltent. Valens est vaincu et tué à Andrinople (en Turquie actuelle) en 378. Les Goths envahissent alors la Grèce puis l'Italie. En 379, Théodose est proclamé empereur d'Orient. Il conclut un nouveau traité avec les Goths et fait la paix avec les Perses. Cependant, la partie occidentale de l'Empire est menacée par les Vandales* qui, entre 409 et 430, s'installent en Gaule, en Espagne et en Afrique du Nord.

Le sac de Rome

Après la mort de Théodose, en 395 apr. J.-C., ses deux fils lui succèdent : Arcadius en Orient et Honorius en Occident sous la tutelle de Stilicon, chef des armées, d'origine barbare. Les Goths, menés par Alaric, entrent dans Constantinople et se livrent à des tueries et des pillages en Grèce. Après avoir été repoussés deux fois par Stilicon, Alaric et ses troupes saccagent Rome en 410 apr. J.-C. C'est la première fois que la ville est mise à sac depuis l'invasion gauloise de 390 av. J.-C. Le sac de Rome, qui dure trois jours, bouleverse le monde civilisé.

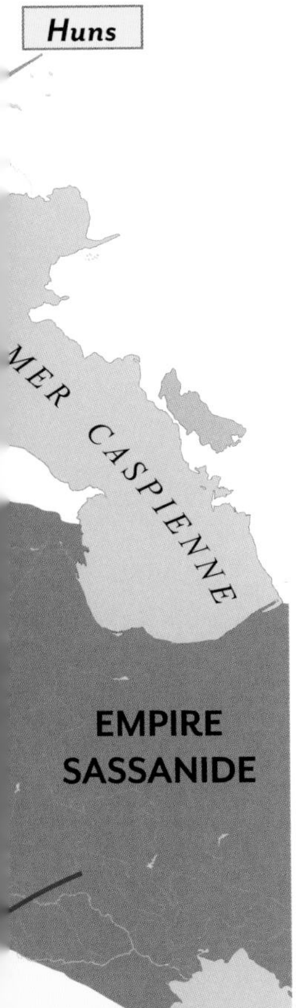

La chute de l'Empire romain d'Occident

Tout au long du Vᵉ siècle apr. J.-C., les peuples barbares s'emparent peu à peu du territoire de l'Empire romain d'Occident. Ils s'établissent parfois pacifiquement, grâce à des traités signés avec Rome. Tantôt des populations entières migrent, tantôt des petits groupes armés se livrent au pillage. En 452, les Huns, menés par Attila, dévastent plusieurs régions d'Italie. En 455, Genséric, roi des Vandales, pille Rome. Le dernier empereur romain d'Occident, Romulus Augustule, abdique en 476. Odoacre, un Germain, est proclamé roi d'Italie. C'est la fin de l'Empire romain d'Occident, dont le territoire est désormais occupé par des royaumes barbares. L'Empire romain d'Orient reste puissant mais ne parvient pas à reconquérir durablement l'Occident malgré les tentatives de l'empereur Justinien (527-565).

------ Partage de l'Empire romain entre Arcadius (Orient) et Honorius (Occident) en 395

Empire romain d'Occident

Empire romain d'Orient

Vandales : peuple germanique originaire de Scandinavie.

CHRONOLOGIE

DES ORIGINES À 509 AV. J.-C.

IXe siècle av. J.-C.
présence de tombes sur le site du Forum

VIIIe siècle av. J.-C.
cabanes sur le Palatin

753 av. J.-C.
(selon la tradition) : fondation de Rome

753-715 av. J.-C.
règne de Romulus

730-720 av. J.-C.
première muraille sur le Palatin

715-616 av. J.-C.
règne des rois sabins Numa Pompilius, Tullius Hostilius et Ancus Martius

Vers 650 av. J.-C.
premier pont de Rome, le pont Sublicius, en bois

Vers 625 av. J.-C.
premier aménagement du Forum

616-510 av. J.-C.
règne des rois étrusques Tarquin l'Ancien, Servius Tullius, Tarquin le Superbe

Vers 530 av. J.-C.
premières installations du *Circus Maximus*

VIIe-VIe siècle av. J.-C.
construction de la *Cloaca Maxima*, premier égout de Rome

LA RÉPUBLIQUE ROMAINE

509 av. J.-C.
instauration de la République ; inauguration du temple de Jupiter Capitolin

493-290 av. J.-C.
conquête de peuples italiens

451-450 av. J.-C.
loi des Douze Tables

396 av. J.-C.
prise de Véies par Camille

390 av. J.-C.
prise de Rome par les Gaulois

272 av. J.-C.
prise de Tarente ; conquête des villes grecques d'Italie du Sud

264 av. J.-C.
premier combat de gladiateurs

264-241 av. J.-C.
première guerre punique

241 av. J.-C.
la Sicile, première province romaine

L'EMPIRE ROMAIN

DYNASTIE JULIO-CLAUDIENNE

27 av. J.-C. : début de l'Empire, Octave devient Auguste ; construction du Panthéon sur le Champ de Mars par Agrippa

27 av. J.-C.-14 apr. J.-C. : règne d'Auguste

9 av. J.-C. : consécration de l'*Ara Pacis* (autel de la Paix)

14-37 apr. J.-C. : règne de Tibère

37-41 apr. J.-C. : règne de Caligula

41-54 apr. J.-C. : règne de Claude

43 apr. J.-C. : début de la conquête de la Bretagne (Grande-Bretagne actuelle)

54-68 apr. J.-C. : règne de Néron

64 apr. J.-C. : incendie de Rome

64-68 apr. J.-C. : construction de la *Domus Aurea* par Néron

DYNASTIE FLAVIENNE

69 apr. J.-C. : année des quatre empereurs : Galba, Othon, Vitellius puis Vespasien

69-79 apr. J.-C. : règne de Vespasien

70 apr. J.-C. : prise de Jérusalem par Titus

70-80 apr. J.-C. : construction du Colisée

79 apr. J.-C. : éruption du Vésuve, destruction de Pompéi, Herculanum, Boscoreale

79-81 apr. J.-C. : règne de Titus

81 apr. J.-C. : arc de Titus

81-96 apr. J.-C. : règne de Domitien

DYNASTIE ANTONINE

96-98 apr. J.-C. : règne de Nerva

98-117 apr. J.-C. : règne de Trajan

101-107 apr. J.-C. : campagnes contre les Daces

112-113 apr. J.-C. : construction du forum de Trajan et de la colonne trajane

117-138 apr. J.-C. : règne d'Hadrien

117 apr. J.-C. : reconstruction du Panthéon par Hadrien

118-128 apr. J.-C. : Villa Hadriana à Tivoli

130 apr. J.-C. : mort d'Antinoüs, favori d'Hadrien

138-161 apr. J.-C. : règne d'Antonin le Pieux

161-180 apr. J.-C. : règne de Marc Aurèle

180 apr. J.-C. : colonne aurélienne

180-192 apr. J.-C. : règne de Commode

DYNASTIE SÉVÉRIENNE

193-211 apr. J.-C. : règne de Septime Sévère

203 apr. J.-C. : arc de Septime Sévère à Rome

211-217 apr. J.-C. : règne de Caracalla

212 apr. J.-C. : constitution antonine : édit de Caracalla accordant la citoyenneté à tous les habitants libres de l'Empire

216 apr. J.-C. : thermes de Caracalla à Rome

218-222 apr. J.-C. : règne d'Elagabal

222-235 apr. J.-C. : règne de Sévère Alexandre

PÉRIODE D'ANARCHIE MILITAIRE

235 apr. J.-C. : règnes successifs des "empereurs-soldats"

250 apr. J.-C. : début des incursions des Goths

250 apr. J.-C. : persécution de Dèce contre les chrétiens

257-258 apr. J.-C. : persécuti[on] de Valérien contre les chrétien[s]

259 apr. J.-C. : Valérien est fai[t] prisonnier par le roi sassanide Shapuur Ier

270 apr. J.-C. : muraille aurélienne

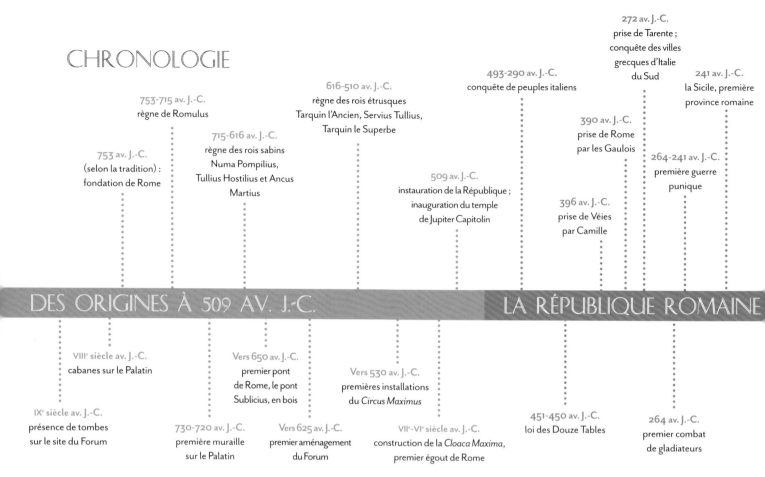

218-202 av. J.-C.
deuxième guerre punique

168 av. J.-C.
victoire de Paul Émile à Pydna sur Persée, roi de Macédoine

202 av. J.-C.
victoire de Scipion l'Africain à Zama sur Hannibal et les Carthaginois

149-146 av. J.-C.
troisième guerre punique ; destruction de Carthage par Scipion Émilien

146 av. J.-C.
conquête et sac de Corinthe par le consul Lucius Memmius

121-118 av. J.-C.
conquête du sud de la Gaule, la Narbonnaise

66-63 av. J.-C.
campagnes de Pompée en Orient

58-51 av. J.-C.
conquête de la Gaule par César

49-45 av. J.-C.
guerre entre César et Pompée, vaincu à Pharsale en 48 ; mort de Pompée

15 mars 44 av. J.-C.
assassinat de César

42-31 av. J.-C.
Octave contrôle l'Occident ; Antoine domine l'Orient

30 av. J.-C.
l'Égypte devient province romaine

204 av. J.-C.
installation de la déesse Cybèle à Rome

73-71 av. J.-C.
révolte de Spartacus

55 av. J.-C.
théâtre de Pompée sur le Champ de Mars à Rome, le premier construit en pierre

60 av. J.-C.
"premier triumvirat", entre Pompée, César et Crassus

53 av. J.-C.
défaite et mort de Crassus à Carrhes face aux Parthes

49-44 av. J.-C.
dictatures de César

43 av. J.-C.
second triumvirat entre les Césariens Antoine, Octave et Lépide

42 av. J.-C.
bataille de Philippes, défaite des assassins de César face à Octave et Antoine

31 av. J.-C.
victoire d'Octave sur Antoine et Cléopâtre à Actium

LA TÉTRARCHIE

284 apr. J.-C. : Dioclétien crée la tétrarchie : Dioclétien et Maximien sont Augustes et Constance et Galère sont Césars

298-308 apr. J.-C. : thermes de Dioclétien à Rome

300 apr. J.-C. : colonne des Tétrarques à Venise

301 apr. J.-C. : édit du Maximum par Dioclétien pour limiter la hausse des prix

DYNASTIE CONSTANTINIENNE

307-337 apr. J.-C. : règne de Constantin

310 apr. J.-C. : création du *solidus* d'or

312 apr. J.-C. : bataille du pont Milvius, Constantin vainc Maxence en se réclamant du Christ et règne seul sur l'Empire

313 apr. J.-C. : édit de Milan : liberté de culte

315 apr. J.-C. : arc de Constantin à Rome

330 apr. J.-C. : Constantinople devient la capitale de l'Empire

337 apr. J.-C. : règnes des fils de Constantin (Constantin II, Constant, Constance II)

DYNASTIE VALENTINIENNE

364 apr. J.-C. : premier partage de l'Empire entre Occident et Orient ; règnes de Valentinien I, Valentinien II et Valens

378 apr. J.-C. : Valens vaincu et tué à Andrinople par les Goths

DYNASTIE THÉODOSIENNE ET FIN DE L'EMPIRE ROMAIN D'OCCIDENT

379-395 apr. J.-C. : règne de Théodose

379 apr. J.-C. : Théodose interdit les cultes païens

395 apr. J.-C. : règne d'Honorius en Occident et Arcadius en Orient

395 apr. J.-C. : partage définitif de l'Empire entre Occident et Orient

410 apr. J.-C. : sac de Rome par Alaric, roi des Goths

475-476 apr. J.-C. : Romulus Augustule, dernier empereur d'Occident

476 apr. J.-C. : le roi barbare Odoacre renvoie les insignes impériaux à Constantinople ; fin de l'Empire romain d'Occident

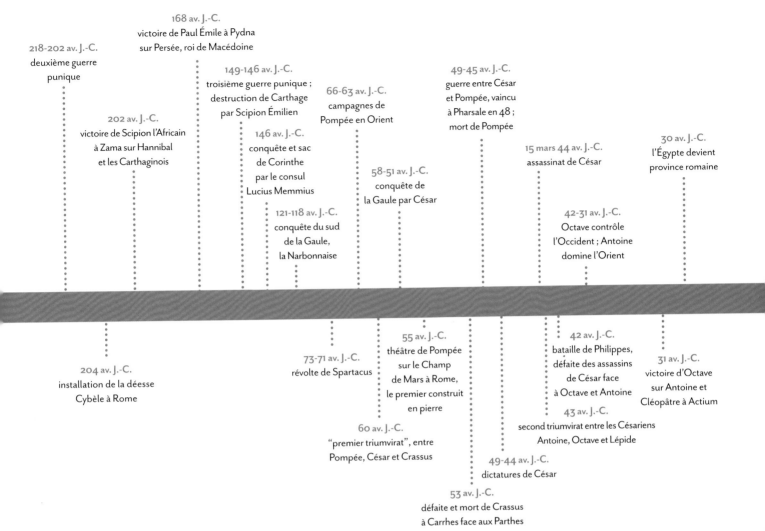

TABLE DES ILLUSTRATIONS

Couverture Femmes au chevreau (détail), fragment de peinture murale provenant de Pompéi, milieu du Ier siècle apr. J.-C., 83 × 135 cm, musée du Louvre (P. 1), © RMN-Grand Palais (musée du Louvre) / Stéphane Maréchalle. – *Solidus* de Constantin : médaillon monétaire, vers 324-326 apr. J.-C., or, D. 9,2 cm, musée du Louvre (Bj 2280), © Musée du Louvre / Daniel Lebée et Carine Deambrosis. – **Gardes** Carte *L'Empire romain sous le règne de Trajan* et *Rome à la fin du IIIe siècle*, © conception Daniel Roger / réalisation Claire Raveau. – **P. 5** Plaque représentant une course de quadriges, Ier siècle apr. J.-C., terre cuite, 32 × 39,5 cm, musée du Louvre (S 877), © RMN-Grand Palais (musée du Louvre) / Hervé Lewandowski. – **P. 8** Lampe, fin du IIe-début du IIIe siècle apr. J.-C., terre cuite, 11,2 × 8,3 × 3,5 cm, musée du Louvre (Cp 4892), © RMN-Grand Palais (musée du Louvre) / Droits réservés. – La Louve du Capitole, fin VIe-début Ve siècle av. J.-C., bronze, 75 × 114 cm, Rome, musée du Capitole (MC 1181), © Erich Lessing, Vienne. – **P. 9** Les collines de Rome, © Daniel Roger. – Le Tibre, milieu du IIe siècle apr. J.-C., marbre, 163 × 317 cm, musée du Louvre (Ma 593), © Musée du Louvre / Peter Harholdt. – Urne cinéraire en *impasto* (terre cuite), Xe-IXe siècle av. J.-C., tombe 6 de la nécropole de Castiglione, Latium, Rome, musée des Thermes de Dioclétien, © Daniel Roger – **P. 10** *Les Sabines*, Jacques Louis David, 1799, huile sur toile, 385 × 522 cm, musée du Louvre (Inv. 3691), © Musée du Louvre, dist. RMN-GP / Angèle Dequier. – **P. 11** *Le Serment des Horaces*, Jacques Louis David, 1784, huile sur toile, 330 × 425 cm, musée du Louvre (Inv. 3691), © RMN-Grand Palais (musée du Louvre) / Gérard Blot / Christian Jean. – La *Cloaca Maxima* © 2013 Photo Scala, Florence. – Peinture de la tombe François, Vulci © The Art Archive / Villa Albani Lazio / Araldo de Luca. – **P. 12** Vue du *Forum Romanum* aujourd'hui, © Mauritius Photononstop. – **P. 13** Reconstitution du Forum sous l'Empire (dans Filippo Coarelli, *Guide archéologique de Rome*, Paris, Hachette, 1994, p. 40), © Gius. Laterza & Figli Spa, Roma/Bari, 1980 – Portrait d'un inconnu, fin du Ier siècle av. J.-C., argile, H. 24 cm, musée du Louvre (Cp 4307), © Musée du Louvre, dist. RMN-GP / Anne Chauvet. – Portrait dit de "Postumus Albinus", daté du début du Ier siècle av. J.-C., marbre, H. 36 cm, musée du Louvre (Ma 919), © RMN-Grand Palais (musée du Louvre) / Hervé Lewandowski. – **P. 14** Relief dit de Domitius Ahenobarbus, vers 100 av. J.-C., marbre, 120 × 147 cm, musée du Louvre (Ma 975), © RMN-Grand Palais (musée du Louvre) / Hervé Lewandowski. – Citoyen en toge, seconde moitié du Ier siècle apr. J.-C., marbre, H. 199 cm (225 cm avec plinthe), musée du Louvre (Ma 987), © Musée du Louvre / Anne Chauvet. – **P. 15** Époux en décor de fontaine, vers 235 apr. J.-C., marbre, 163 × 165 × 43 cm, musée du Louvre (Ma 351), © RMN-Grand Palais (musée du Louvre) / Hervé Lewandowski. – Livie en Cérès, vers 20 apr. J.-C., marbre, H. 253 cm, musée du Louvre (Ma 1242), © Musée du Louvre / Anne Chauvet. – **P. 16** *La Bataille de Zama*, dixième pièce de la tenture "L'Histoire de Scipion" d'après Giulio Romano, 1688-1689, tapisserie, laine et soie, 435 × 740 cm, musée du Louvre (OA 5394), © Musée du Louvre, dist. RMN-GP / Philippe Fuzeau. – **P. 17** Guerrier combattant, dit *Gladiateur Borghèse*, vers 100 av. J.-C., marbre, H. 199 cm, musée du Louvre (Ma 527), © Musée du Louvre, dist. RMN-GP / Daniel Lebée et Carine Déambrosis. – Portrait de Mithridate VI Eupator en Héraclès, Ier siècle apr. J.-C., marbre, H. 35 cm, musée du Louvre (Ma 2321), © RMN-Grand Palais (musée du Louvre) / Hervé Lewandowski. – Vase dit "de Sosibios", vers 50 av. J.-C., marbre, H. 78 cm, musée du Louvre (M 442), © RMN-Grand Palais (musée du Louvre) / Hervé Lewandowski. – **P. 18** Bandeau de sarcophage, vers 240 apr. J.-C., marbre, 233 × 43 cm, musée du Louvre (Ma 284), © Musée du Louvre, dist. RMN-GP / Daniel Lebée et Carine Déambrosis. – Portrait de Crassus, fin du Ier siècle av. J.-C., marbre, H. 26 cm, musée du Louvre (Ma 1220), © RMN-Grand Palais (musée du Louvre) / Hervé Lewandowski. – **P. 19** Fragment de mosaïque de sol, les préparatifs du banquet, fin du IIe siècle apr. J.-C., marbre, calcaire et pâte de verre, 240 × 225 cm, musée du Louvre (Ma 1796), © Musée du Louvre / Anne Chauvet. – **P. 20** Portrait de Pompée jeune, 70 av. J.-C., marbre, H. 37 cm, musée du Louvre (Ma 999), © RMN-Grand Palais (musée du Louvre) / Hervé Lewandowski. – **P. 21** Portrait d'Octave, 36-35 av. J.-C., marbre, H. 31 cm, Toulouse, musée Saint-Raymond (musée des Antiques), © Jean-François Peiré. – Monnaie avec le portrait d'Antoine, argent, Bibliothèque nationale de France, département des Monnaies et Médailles, © BnF.– Statuette de Cléopâtre VII, Ier-IIe siècle (?), bronze, 43 cm, musée du Louvre (Br 789), © RMN-Grand Palais (musée du Louvre) / Stéphane Maréchalle. – Camée, après 27 av. J.-C., sardonyx, 6 × 6,6 cm, Vienne, Kunsthistorisches Museum, © The Bridgeman Art Library. – **P. 22** Mausolée des Julii à Glanum (Saint-Rémy-de-Provence), vers 30 av. J.-C., © Thierry Béghin / Centre des monuments nationaux. – Portrait de César ?, 50-40 av. J.-C., marbre, H. 39,5 cm, Musée départemental Arles antique (inv. RHO.2007.05.1939), © Jean-Luc Maby. – **P. 23** Arles au IIIe siècle apr. J.-C. (in Golvin, *Voyage en Gaule romaine*, textes de Gérard Coulon, aquarelles de Jean-Claude Golvin, Arles-Paris, 2011, p. 185), © Jean-Claude Golvin / Éditions Errance. – Vénus d'Arles, fin du Ier siècle av. J.-C., marbre, H. 194 cm, musée du Louvre (Ma 439), © Musée du Louvre, dist. RMN-GP / Daniel Lebée et Carine Déambrosis. – **P. 24** Théâtre d'Orange, époque augustéenne, © Gräfenhain Günter / Sime / Photononstop. – **P. 25** Masque de théâtre, fin du Ier siècle av. J.-C. – début du Ier siècle apr. J.-C., terre cuite, H. 18 cm, musée du Louvre (CA 1941), © Musée du Louvre, dist. RMN-GP / Daniel Lebée et Carine Déambrosis. – Figurine d'acteur, IIIe siècle apr. J.-C. (?), os, H. 11,5 cm, musée du Louvre (MNE 797), © Musée du Louvre / Anne Chauvet. – Melpomène, fragment de peinture murale provenant des *Praedia* de Julia Felix à Pompéi, 62-79 apr. J.-C., enduit peint, 46 × 36 cm, musée du Louvre (P 9), © RMN-Grand Palais (musée du Louvre) / Hervé Lewandowski. – **P. 26** Portrait d'Auguste, vers 27 av. J.-C., marbre, H. 36 cm, musée du Louvre (Ma 1280), © Musée du Louvre / Daniel Lebée et Carine Déambrosis. – Statue funéraire et honorifique de Marcellus, vers 20 av. J.-C., marbre, H. 180 cm, musée du Louvre (Ma 1207), © RMN-Grand Palais (musée du Louvre) / Hervé Lewandowski. – **P. 27** Statue de l'empereur Titus, fin du Ier siècle apr. J.-C., marbre, H. 236 cm, musée du Louvre (Ma 1067), © RMN-Grand Palais (musée du Louvre) / Hervé Lewandowski. – Portrait d'Hadrien, vers 140 apr. J.-C., bronze, H. 43 cm, musée du Louvre (Br 4547), © RMN-Grand Palais (musée du Louvre) / Hervé Lewandowski. – Portrait de Marc Aurèle, vers 170 apr. J.-C., marbre, H. 86 cm, musée du Louvre (Ma 1166), © Musée du Louvre / Anne Chauvet. – **P. 28** Portrait d'Auguste, Ier siècle apr. J.-C., agate, cristal de roche, marbre, or, bronze doré et émail, H. 14 cm, musée du Louvre (Bj 1839), © RMN-Grand Palais (musée du Louvre) / Martine Beck-Coppola. – Fragment de l'*Ara Pacis*, 13-9 av. J.-C., marbre, 114 × 147 cm, musée du Louvre (Ma 1088), © Musée du Louvre, dist. RMN-GP / Thierry Ollivier. – *Ara Pacis Augustae*, 13-9 av. J.-C., marbre, 11,65 × 10,625 m, Rome, © 2013 Andrea Jemolo / Scala, Florence. – **P. 29** Apothéose d'Antonin et Faustine, piédestal de la colonne Antonine, 161-162 apr. J.-C., marbre, musée du Vatican, © 2013 Photo Scala, Florence. – Antinoüs en Dionysos, vers 130 apr. J.-C., marbre, H. 43 cm, musée du Louvre (Ma 238), © RMN-Grand Palais (musée du Louvre) / Hervé Lewandowski. – **P. 30** Portrait de Néron, 3e quart du Ier siècle apr. J.-C., bronze, H. 35 cm, musée du Louvre (Br 22), © RMN-Grand Palais (musée du Louvre) / Konstantinos Ignatiadis. – Reliefs provenant du théâtre maritime de la Villa Hadriana, vers 125-130 apr. J.-C., marbre, H. 25 cm, musée du Louvre (Ma 152 et Ma 1575), © Musée du Louvre / Daniel Lebée et Carine Déambrosis. – **P. 31** Portrait de Domitia, femme de Domitien, vers 90 apr. J.-C., marbre, H. 30 cm, musée du Louvre (Ma 1193), © Musée du Louvre / Daniel Lebée et Carine Déambrosis. – Satyre du Palatin, vers 80 apr. J.-C., sans doute d'après un original grec du IVe siècle av. J.-C., marbre, H. 109 cm, musée du Louvre (Ma 664), © Musée du Louvre, dist. RMN-GP / Daniel Lebée et Carine Déambrosis. – Vue de la Villa Hadriana, le théâtre maritime, IIe siècle apr. J.-C., © 2013 De Agostini Picture Library / Scala Florence. – **P. 32** Artémis dite Diane de Gabies, début du Ier siècle apr. J.-C., marbre, H. 165 cm, musée du Louvre (Ma 529), © Musée du Louvre, dist. RMN-GP / Thierry Ollivier. – Relief mithriaque à double face, IIe-IIIe siècle apr. J.-C., marbre, 58 × 67 × 16 cm, musée du Louvre (Ma 3441), © RMN-Grand Palais (musée du Louvre) / Hervé Lewandowski. – **P. 33** Aphrodite-Isis, IIe siècle apr. J.-C., bronze, verre, H. 57,5 cm, musée du Louvre (Br 12), © Musée du Louvre / Daniel Lebée et Carine Déambrosis. – Tête de Sarapis, fin IIe-début IIIe siècle apr. J.-C., marbre, H. 62 cm, musée du Louvre (Ma 1830), © Musée du Louvre / Anne Chauvet. – Sarcophage représentant des scènes de l'Ancien et du Nouveau Testament, première moitié du IVe siècle apr. J.-C., marbre, 70 × 217 cm, musée du Louvre (Ma 2981), © Musée du Louvre, dist. RMN-GP / Thierry Ollivier. – **P. 34** Portrait de flamine, entre 250 et 265 apr. J.-C., marbre, H. 38 cm, musée du Louvre (Ma 341), © Musée du Louvre, dist. RMN-GP / Thierry Ollivier. – Relief, début du Ier siècle apr. J.-C., marbre, 180 × 230 cm, musée du Louvre (Ma 1096), © Musée du Louvre / Daniel Lebée et Carine Déambrosis. – **P. 35** Maison carrée de Nîmes, fin du Ier siècle av. J.-C., © Patrice Blot / Leemage. – Panthéon de Rome, Ier siècle av. J.-C., reconstruit au début du IIe siècle apr. J.-C., © Mauritius / Photononstop. – Relief, début du Ier siècle apr. J.-C., 164 × 230 cm, musée du Louvre (Ma 978), © Musée du Louvre / Daniel Lebée et Carine Déambrosis. – **P. 36** Herculanum Maison de Neptune et Amphitrite, © 2013 Photo Scala, Florence / Luciano Romano / Courtesy of the Ministero Beni e Att. Culturali. – Vue de Pompéi avec le Vésuve, © 2013 Photo Scala, Florence / Fotografica Foglia / Courtesy of the Ministero Beni e Att. – **P. 37** Femmes au chevreau, fragment de peinture murale provenant de Pompéi, milieu du Ier siècle apr. J.-C., 83 × 135 cm, musée du Louvre (P 1), © RMN-Grand Palais (musée du Louvre) / Stéphane Maréchalle. – Génie ailé de Boscoreale, fin du Ier siècle av. J.-C., peinture murale, 126 × 76 cm, musée du Louvre (P 23), © Paris, Musée du Louvre, photo P. Zeray. – Trésor de Boscoreale, fin du Ier siècle av. J.-C.-première moitié du Ier siècle apr. J.-C., argent, or, bronze, musée du Louvre, © RMN-Grand Palais (musée du Louvre) / Stéphane Maréchalle. – **P. 38** *Atrium* de la maison samnite à Herculanum, © Photo Scala, Florence / Courtesy of the Ministero Beni e Att. Culturali. – Lit, milieu ou seconde moitié du IIe siècle av. J.-C., bronze, L. 175 cm, musée du Louvre (Br 3673), © Musée du Louvre, dist. RMN-GP / Thierry Ollivier – **P. 39** Bouteille cylindrique à embouchure en collerette, IIe siècle apr. J.-C., verre, 18 × 9,5 m, musée du Louvre (S 5997), © Musée du Louvre / Anne Chauvet. – Cratère, vers 10 av. J.-C.-10 apr. J.-C., terre cuite, 21 × 22 cm, musée du Louvre (H 436), © Musée du Louvre / Anne Chauvet. – Cratère situle, première moitié du Ier siècle apr. J.-C., bronze, 33 × 28 cm, musée du Louvre (Br 2808), © Musée du Louvre / Daniel Lebée et Carine Déambrosis. – Mosaïque du Jugement de Pâris provenant du *triclinium* d'une riche demeure d'Antioche (Turquie), seconde moitié du Ier siècle-début du IIe siècle, marbre, calcaire et pâte de verre, 186 × 186 cm, musée du Louvre (Ma 3443), © Musée du Louvre, dist. RMN-GP / Thierry Ollivier. – Vase aux masques, vers 80-100 apr. J.-C., marbre, H. 81 cm, musée du Louvre (Ma 434), © RMN-Grand Palais (musée du Louvre) / Hervé Lewandowski. – **P. 40** Portrait d'homme, dit Persée, vers 160-165 apr. J.-C., marbre, H. 51 cm, musée du Louvre (Ma 381), © Musée du Louvre, dist. RMN-GP / Daniel Lebée et Carine Deambrosis. – Portrait féminin, fin du Ier siècle apr. J.-C., marbre, H. 27 cm, musée du Louvre (Ma 1155), © RMN-Grand Palais (musée du Louvre) / Hervé Lewandowski. – **P. 41** Portrait de femme dite "l'Européenne", première moitié du IIe siècle apr. J.-C., bois de cèdre peint à l'encaustique et doré, 42 × 24 cm, musée du Louvre (MND 2047), © Musée du Louvre, dist. RMN-GP / Georges Poncet. – Bijoux du trésor de Boscoreale, fin du Ier siècle av. J.-C.-première moitié du Ier siècle apr. J.-C., or, musée du Louvre (Bj 976-977, Bj 990-991, Bj 495, Bj 1095, Bj 408-409), © RMN-Grand Palais (musée du Louvre) / Hervé Lewandowski. – Bague, IIe-IIIe siècle, or, sardoine, 2,3 cm, musée du Louvre (Bj 1295), © RMN-Grand Palais (musée du Louvre) / Stéphane Maréchalle. – **P. 42** L'enfant à la *bulla*, deuxième quart du IIe siècle apr. J.-C., bronze, H. 86 cm, musée du Louvre (Br 17), © RMN-Grand Palais (musée du Louvre) / Hervé Lewandowski. – Tablette de l'écolier Papnoution, IVe siècle apr. J.-C., bois et cire, 18 × 14 × 7 cm, musée du Louvre (MND 552 H), © RMN-Grand Palais (musée du Louvre) / Hervé Lewandowski. – **P. 43** Poupée, IIIe siècle apr. J.-C., os, H. 10 cm, musée du Louvre (MNE 191), © RMN-Grand Palais (musée du Louvre) / Hervé Lewandowski. – Boîte à osselets en forme de tête d'Héraclès, vers 50 av. J.-C., terre cuite glaçurée, 5,2 × 4 × 4 cm, musée du Louvre (Myr 675), © Musée du Louvre, dist. RMN-GP / Daniel Lebée et Carine Déambrosis et © RMN-Grand Palais (musée du Louvre) / Hervé Lewandowski. – Fragment du sarcophage de Marcus Cornelius Statius, vers 150-160 apr. J.-C., marbre, 47 × 149 × 23 cm, musée du Louvre (Ma 659), © Musée du Louvre / Daniel Lebée et Carine Déambrosis. – **P. 44** Colisée de Rome, Ier siècle apr. J.-C., 50 × 188 m, © 2013 Photo Scala, Florence / Courtesy of the Ministero Beni. – **P. 45** Lampe, 175-225 apr. J.-C., terre cuite, 11,6 × 8,4 × 4,3 cm, musée du Louvre (Cp 4418), © Musée du Louvre / Anne Chauvet. – Manche de couteau en forme de gladiateur thrace, seconde moitié du Ier siècle apr. J.-C., os, H. 8,5 cm, musée du Louvre (S 2032), © Musée du Louvre / Anne Chauvet. – Casque de gladiateur thrace, troisième quart du Ier siècle apr. J.-C., bronze, H. 38 cm, musée du Louvre (Br 1108), © RMN-Grand Palais (musée du Louvre) / Hervé Lewandowski. – Plaque représentant une course de quadriges, Ier siècle apr. J.-C., terre cuite, 32 × 39,5 cm, musée du Louvre (S 877), © RMN-Grand Palais (musée du Louvre) / Hervé Lewandowski. – **P. 46** Trajan cuirassé, début du IIe siècle apr. J.-C., marbre, H. 204 cm, musée du Louvre (Ma 1150), © Musée du Louvre / Daniel Lebée et Carine Déambrosis. – Relief des prétoriens, vers 51-52 apr. J.-C., marbre, 162 × 126 × 27 cm, musée du Louvre (Ma 1079), © Musée du Louvre / Anne Chauvet. – **P. 47** Colonne trajane, 107-113 apr. J.-C., marbre, H. 40 m, © The Art Archive / Manuel Cohen, et détail © Collection Dagli Orti / Gianni Dagli Orti – Arc de Titus, entre 81 et 85 apr. J.-C., marbre, H. 15 m, © Erich Lessing, Vienne, et détail © 2013 Photo Scala, Florence / Courtesy of the Ministero Beni e Att. Culturali – **P. 48** La Carthage romaine au IIIe siècle apr. J.-C., par J.-C. Golvin (in *L'Antiquité retrouvée*, Paris, Errance, 2005, p. 96-97), © Jean-Claude Golvin / Éditions Errance. – Caninius, vers 150 apr. J.-C., marbre, H. 177 cm, musée du Louvre (Ma 1112), © MUCEM, dist. RMN-GP/ Yves Inchierman. – Portrait de Lucilla, seconde moitié du IIe siècle apr. J.-C., marbre, H. 160 cm, musée du Louvre (Ma 1171), © Musée du Louvre / Anne Chauvet. – **P. 49** Stèle du moissonneur, troisième quart du IIIe siècle, calcaire gravé, 109 × 53 × 22 cm, musée du Louvre (Ma 1872), © RMN-Grand Palais (musée du Louvre) / Stéphane Maréchalle. – Mosaïque : triomphe de Neptune et Amphitrite, premier quart du IVe siècle apr. J.-C., marbre, calcaire et pâte de verre, 836 × 714 cm, musée du Louvre (Ma 1880), © RMN (musée du Louvre) / Christian Jean / Jean Schormans. – **P. 50** *Natatio* des thermes d'Hadrien à Leptis Magna, © AGE / Photononstop. – Les Thermes de Dioclétien, dessin, encre de Chine et aquarelle sur papier (dans Edmond Paulin, *Thermes de Dioclétien. Perspective intérieure*, Paris, 1880), © Droits réservés. – P. 51 Hypocauste des thermes de Constantin à Arles, © Nicolas Thibaut / Photononstop. – Mosaïque du *frigidarium* des thermes de Neptune à Ostie, vers 140 apr. J.-C., © Peter Noyce / AGE / Photononstop. – Esclave, début du IIIe siècle apr. J.-C., marbre noir, H. 58 cm, musée du Louvre (Ma 4926), © Musée du Louvre / Anne Chauvet. – **P. 52** Peinture de la tombe de Patron, fin du Ier siècle av. J.-C., fresque, 160 × 37 cm, musée du Louvre (P 37), © Erich Lessing, Vienne. – Autel funéraire d'Amemptus, vers 50 apr. J.-C., marbre, 99,5 × 61,5 × 47 cm, musée du Louvre (Ma 488), © RMN-Grand Palais (musée du Louvre) / Hervé Lewandowski. – **P. 53** Sarcophage figurant la légende d'Actéon, vers 125-130 apr. J.-C., marbre, 99 ×236 × 75 cm, musée du Louvre (Ma 459), © Musée du Louvre, dist. RMN-GP / Daniel Lebée et Carine Déambrosis. – Sarcophage, Ier-IIIe siècle apr. J.-C., plomb moulé, 53 × 176 × 41 cm, musée du Louvre (AO 17268), © Musée du Louvre / Anne Chauvet. – Hypogée de la *Via Latina*, IVe siècle, © 2013 Photo Scala, Florence. – **P. 54** Portrait de Septime Sévère, vers 205 apr. J.-C., marbre, H. 74 cm, musée du Louvre (Ma 1118), © RMN-Grand Palais (musée du Louvre) / Hervé Lewandowski. – Portrait de Julia Domna, 193 apr. J.-C., marbre, H. 66,5 cm, musée du Louvre (Ma 1103), © RMN-Grand Palais (musée du Louvre) / Jean Schormans. – **P. 55** Mur d'Aurélien, IIIe siècle apr. J.-C., Rome, © 2013 Photo Scala. – Les Tétrarques, vers 305 apr. J.-C., porphyre, Venise, basilique Saint-Marc, © Collection Dagli Orti / Gianni Dagli Orti. – *Solidus* de Constantin : médaillon monétaire, vers 324-326 apr. J.-C., or, D. 9,2 cm, musée du Louvre (Bj 2280), © Musée du Louvre / Daniel Lebée et Carine Déambrosis. – **P. 56-57** Carte *Les Invasions barbares du Ve siècle*, © Jean-Pierre Pirat. **Gardes** Carte *Rome à la fin du IIIe siècle*, © Jean-Pierre Pirat.

1 Colisée
2 Ludus Magnus
3 Camp des Prétoriens
4 Grand Cirque
5 Stade de Domitien
6 Amphithéâtre Castriense
7 Panthéon
8 Mausolée d'Auguste
9 Mausolée d'Hadrien
10 Palais de Tibère
11 Palais de Domitien
12 Palais de Septime Sévère
13 Colonne d'Antonin le Pieux
14 Colonne de Marc Aurèle
15 Temple de Vénus Ericyna
16 Temple du Divin Hadrien
17 Temple de Sérapis
18 Temples d'Isis et de Sarapis
19 Temple de Junon Lucina
20 Temple de Minerva Medica
21 Temple de Jupiter Capitolin
22 Temple de la Paix
23 Temple de Vénus et Rome
24 Temple d'Apollon
25 Temple d'Elagabale
26 Temple du Divin Claude
27 Temple de Cérès, Liber et Libéra
28 Temples du Largo Argentina
29 Temple de Junon Moneta
30 Temple de Diane
31 Temple de Minerve
32 Thermes de Dioclétien
33 Thermes de Néron
34 Thermes d'Agrippa
35 Thermes de Titus
36 Thermes de Trajan
37 Thermes de Licinius Sura
38 Thermes de Dèce
39 Thermes de Caracalla
40 Forum de Trajan et colonne trajane
41 Forum d'Auguste
42 Forum de Nerva ou Transitorium
43 Forum de César
44 Forum républicain
45 Théâtre de Pompée
46 Théâtre de Balbus
47 Théâtre de Marcellus
48 Porte Flaminia
49 Porte Piaciana
50 Porte Nomentana
51 Porte Tiburtina
52 Porte Praenestina
53 Porte Asinaria
54 Porte Metronia
55 Porte Latina
56 Porte Appia
57 Porte Ardeatina
58 Porte Ostiense
59 Porte Portuense
60 Porte Aurelia
61 Porte Septimiana
62 Pont Néron
63 Pont Agrippa
64 Pont Aurélius
65 Pont Fabricius
66 Pont Cassius
67 Pont Aemilius
68 Pont Sublicius
69 Pont Probus
70 Autel de la Paix d'Auguste
71 Cadran solaire d'Auguste
72 Arc de Claude
73 Arc de Gallien
74 Portique de Livie
75 Portique d'Octavie
76 Portique Aemilia
77 Portique Minucia Vetus
78 Entrepôts de Galba
79 Entrepôts de Lollius
80 Marchés de Trajan
81 Saepta Julia
82 Pyramide de Caius Sestius
83 Odéon de Domitien
84 Auditorium de Mécène
85 Tombeau d'Eurysacès
86 Tombeau des Scipions
87 Circus Flaminius

Enceinte servienne
Mur d'Aurélien
Aqueduc

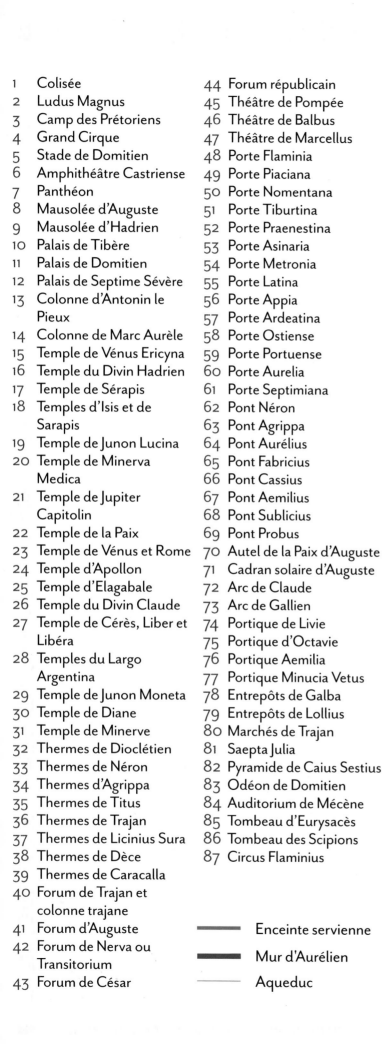

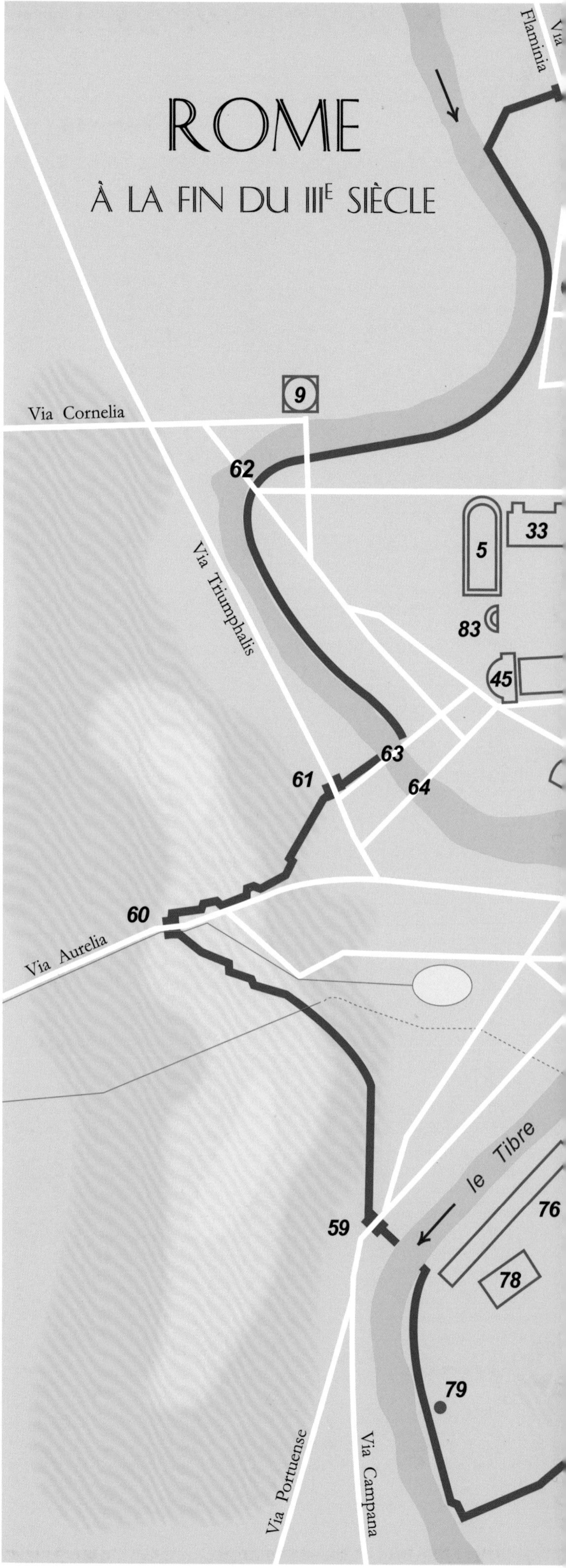